政策図解《せいさくずかい》

図解総研
近藤哲朗
沖山　誠

監修：
東京大学公共政策大学院教授
鈴木　寛

日経BP

社会に
違和感を持つ
人のために

私たちがなぜ
この本を出したいと思ったのか、
少し長くなるがその説明をさせてほしい。
なぜなら、それが、
この本の存在意義になるからだ。

この本は社会に違和感を持ったことがあるあなたのために書かれた本だ。

日々生きていると「なんでこれってこうなってるんだろう」と、ふと違和感を持つことがあると思う。

「なぜ赤信号で道を渡ってはいけないのか？」
「なぜ学校に行かなければならないのか？」
「なぜ大人になると選挙に行くのか？」
「なぜプライバシーは大事なのか？」
「なぜ環境問題は大事なのか？」などなど。

こどもの頃は毎日が疑問だらけで、親や先生に、なぜ？　を聞いていた人も多いだろう。それがだんだんと、大人になるにつれて、知識を得るかわりに、そうした素朴な疑問や違和感に目を向ける機会が少なくなってくる。

まわりのことすべてが不思議で仕方なかった小さな頃から、われわれは大人になっていく過程で何を失ってしまうのだろうか？

ひとつ、エピソードを紹介させてほしい。

私はかつて、校則が厳しい学校に通っていた。頭髪検査が毎月はじめにあり、刈り上げに近い状態まで髪を短くしなければならなかった。髪を伸ばしたくても、その自由が認められておらず、「後ろの髪はつまめちゃダメだ」と先生たちから言われていた。

なぜ？　そんなに校則が厳しいことを知らずに入学した私は、最初は抵抗を見せていたものの、

強く抵抗した生徒が職員室に連れられて後ろの髪をバリカンで刈られたという話を聞いてからというもの、反抗することを止めてしまった。ルールに屈したのだ。

制服は学ランだったが、冬の間、寒いので上にコートを羽織ろうとすると、学校指定のコートじゃなきゃダメだと言われた。最も理不尽だったのは、マフラーをつけてもいいのは、学校指定のコートを着ているときだけだという校則だった。

なぜ？　私は高くつく学校指定のコートを買わずにいたので、寒さをしのぐためにマフラーをつけることもできなかった。何を言ってるかわからないかもしれないが、本当に校則がそれを許さなかった。

しかし、あるとき、生徒会長が学校の先生を前にプレゼンテーションをして、この意味のわからない校則に対して、学校指定のコートを着ていないときでもマフラーをつけることができるようにしたいと訴えた。

その後、生徒のみんなが賛同したことで、見事、校則が変わったのだ。こうして私は学ランの上にマフラーをつけることができるようになった。

私は、そこで初めて、
意味のわからないルールが、
誰かの想いが集合することで
変わることを目撃した。

意味がわからない
ルールがあるなら、
私たちが変えて
いかなければならない

**ここから得た教訓は、
思考停止にさえならなければ、
ルールは自ら
変えていけるということだ。**

時が経つと、最初につくられたルールが形骸化し、意味をなさないものも出てくる。そうしたルールをアップデートしていくのは、現代に生きる我々にしかできないことだ。

ここで問題なのは、何かを変えるためのコストが大きいと、思考停止になってしまうということだ。意味がわからないと思っても、「そういうルールなんだから」、とみんなが言ってしまうと、なにも状況は変わらない。

**ルールの面倒なところはどうやって
変えていいかもわからないところだ。
特に、みんなが
「そういうルールだから」と
受け入れてしまうとまったく変わらない。**

しかしそれでは未来に宿題を残しているだけだ。いま、意味がわからないルールがあるなら、現代に生きる私たちが変えていかなければならない。

ただし、賃金がなかなか上がらないのに、物価は上がって生活のコストが上がり、社会保険料もどんどん上がり、手取りのお金がますます少なくなっている現代では、今を一生懸命に生きることにみんな必死である。思考停止でいた方が楽だ。私もそうだ。何かを変えようとすることは、非常に疲れるし、何かを変えようと声を上げると、批判されたりもして、メンタルにくる。それに、「どうしても変えたいルール」から「変えた方がいいとは思っているルール」のレベルまで、その人によってグラデーションもあるだろう。

なので、まずは、
社会を知ることから
はじめてみるのはどうだろうか。

それが思考停止にならないための一歩ではないだろうか。知ることからはじめる。とはいえ、社会を知ろうといっても、対象が大きすぎて、雲をつかむような話である。もう少し絞っていかなければ具体的な行動にうつしにくい。

そこで、「政策」という言葉が登場する。みなさんは、政策について考えたことがあるだろうか？

私はまったくなかった。政策の「せ」の字もないくらい、考えたことがなかった。

言葉だけかろうじて知っているが、自分とは違う世界の人が使う難しい言葉だと思っていた。しかし、それは間違いだった。「政策」を学ぶことは、実は社会を知るための最短コースなのではないか？　と思うようになった。

政策は、
これまで社会を
変えてきた人たちの
事例集

先のエピソードはひとつの学校の中での話だが、現代ではまだ、同じように全国の学校で意味をなさなくなったルールがたくさんある。そのうち、現代にそぐわない、人権への配慮が足りていないような数々のルールは「ブラック校則」と呼ばれ、問題視されている。同じような課題意識を持つ人たちが多く集まることで、問題を解決しようというムーブメントは強まっていく。

そうなると、ひとつの学校が努力でどうにかする問題ではなく、学校全体で守るべきルールをアップデートする取り組みとして考えなければならない。

あらゆる企業やあらゆる学校が守るべきルールは何か？　どうあるべきなのか？　を考え、その考えをまとめた方針こそが、政策である。

つまり、政策とは、
社会のルールを決めるための
活動そのものなのだ。

GOVERNMENT
SCHOOL
TOWN
HOME

また、もうひとつ政策は、
私たちに欠けがちな視点をくれる。

**それは、企業や個人では
できない方法で
「社会を変える」ことが
できることだ。**

もし企業が何かを変えたければ、どうしても「それは儲かるのか」という点が問われてしまう場面が多い。

私たちは、意外にどっぷりこの考え方に漬かっている。そうなると、たとえば環境問題や女性の雇用などは後回しになってしまう。本文で取り上げる、商品につける電子タグもそうだ。電子タグは、導入すれば業界全体が楽になるが、コストの問題があって、ひとつの会社ががんばったとしてもできないものだ。

しかし、それも政策によって解決できる。このような、ずっと現場では解決が先延ばしにされてきた問題も、政策という観点から見れば、真正面から取り組むべき緊喫の課題になるのだ。

つまり、政策の側から社会の問題を見ることは、私たちが今まで持てなかった、新しい視点を得られることにもなる。

これまでの時代が、できないとして先送りにしてきた問題を、政策というツールがあれば、取り組み解決することができる。

もしかしたら、多くの人が政策があっても変わらないと思っているかもしれない。しかし、本書で取り上げる政策を見てみてほしい。けっこう変わっているし、普通だったら取り組めない問題にも取り組めている。

政策に少し興味が湧いてきただろうか。いや、このくらいでは、政策にまったく思いを馳せてこなかった方にとっては、まだ政策は縁遠いものかもしれない。

いまはそれでいい。この本では、政策が50個も紹介されている。そのひとつひとつの説明は、もしかしたら難しいと感じるかもしれない。先に言っておく。政策は難しい。なぜなら、関係者が多く、影響範囲が大きいからだ。社会全体に影響するルールを決めているので、必然と考えることが多くなる。

だから、政策をシンプルに紹介するためのフォーマットとして「政策図解」をつくったわけだが、これは足がかりにすぎない。政策は本来難しいのだ。簡単なように見せているが、難しいものは難しい。このことを前提にして、読み進めて欲しい。

なぜ難しいものをわざわざ読まなければいけないのか。なぜなら、政策を知ることは社会を知るための最短コースだからだ。

ここまで読んでうすうすわかったかもしれないが、この本は、これだけの政策を紹介しておいて、政策の本ではない。本業で政策を取り扱う人以外、政策の内容そのものをすべて細部にわたって詳しく知る必要はない。そうではなく、「政策を知ることで社会を変えよう」ということを伝えるための本だ。自分が社会を変えようとまで思わない人でも、どのような政策があるのかを知るだけでもいい。なぜなら、政策ひとつひとつに、「社会を変える」力があるからだ。

政策は、言ってみれば、社会を変えてきた先人たちの事例集でもある。

いま私たちが生きているこの世界が、何を土台としてつくられているのか、政策を知ることで理解できるはずだ。

政策を知ることは社会とつながること

ここまでで、何でこの本をつくりたいと思ったのかを述べてきた。複雑な「政策」という概念を、わざわざ知ろうとするのは、骨が折れることかもしれない。

ただ、政策が私たちに与える影響を考えると、政策を知ることが社会とつながることになるとわたしたちは考える。

たとえば、今ではあたりまえだが昔はあたりまえじゃなかったものとして、本書でも紹介している「国民皆保険制度」がある。

これは1961年にできたしくみで、国民の医療費が3割になるなど負担を減らすものだ。それまで保険の制度自体はあったものの、約3,000万もの人が未加入で、医療費は全額払っていた。私たちが今あたりまえのように医療が3割負担で受けられるのは、この政策を進めた先人たちがいて、結果として国民みんなが保険制度に加入しているからだ。

また、女性の参政権も昔はなかった。若い世代の方にとっては、女性が選挙に出る資格がなかったと聞くと意味がわからないかもしれない。しかし女性が参政権を持つためには多大な苦労と戦いの歴史があり、政策があった。このように、さまざまな制度というのは、政策によって、その都度意図を持ってつくられてきたのだ。

これを遠い世界の話だと思うだろうか？　でも、これらは私たちの前の世代がやったことだ。そのおかげで、私たちは現在の権利を手に入れている。

今ではあたりまえの制度やルールが、過去にはあたりまえではなかった、ということを知らずに生きていれば、いつしか現在のあたりまえが崩されてしまうことに目を向けられないかもしれない。これだけ不確実な時代に生きる今だからこそ、政策に少しでも目を向けてみることが、大事になってくるだろう。

自分と社会の課題を切り分けて考えられるようになる

また、政策を知らないままであれば、本当は社会に原因がある部分が大きいのに、その課題をすべて自分が引き受けなければいけないことのように感じてしまうかもしれない。

あらゆる困りごとについて
自分が悪いんだと個人で背負ってしまうと、
それが社会の課題として認知されず、
なかなか解決へと進まないこともあり得る。

だが、そんなときに政策を知っていると、その課題は社会的な歪みによっても引き起こされているんだ、と理解できる。同じ悩みを持つ人の存在を認識し、解決されるにはどうしたらいいかを、大きな視点で考えることもできるかもしれない。

つまり、政策を知ることは、社会を知ることにも通じる。政策を通じて社会を知り、解像度を上げることで、社会の構造的な変化をいちはやく読み取ったり、構造的な歪みに気づいて声を上げたり寄り添ったりすることができると思うのだ。

政策を知るための
ふたつの壁

政策を知ることが大事なことだとしても、なかなか政策を知るのは難しい。その理由としては、大きく以下にあげるふたつの理由があると思う。

ひとつめは、政策に関する情報へのアクセスが難しいこと。ふたつめは、政策の情報量が多すぎて理解がしにくいことだ。

そもそも政策について知りたいと思って検索してみても、どこに正しく整理された情報があるのか把握することが難しい。また、関心を持って深くその政策について知ろうとしても、あちこちの政府のHPをまたがって調べたり、省庁ではない別の団体がまとめた情報を調べたりしないといけないこともしばしば起こる。

政策を決めていく過程では、どうしても関係者が多く、そうした関係者に対して多くの情報を伝えていく必要があるため、一般の人に伝わりづらいものになってしまう。

これらの理由から、政策は身近なものになりづらく、多くの人にとって難しそうなものになってしまっているのではないか、と思う。

そんな状況を打破するために、図解総研では、政策を知るためのツールとして、「政策図解」をつくった。この本は、それをまとめたものである。

政策図解という手法はあくまで政策を見るためのひとつの切り口であり、他にもさまざまな表現手法があり得るはずだ。重要なことは、政策という難しい事象をより多くの人がわかりやすく理解できることだ。そのためにさまざまな切り口のツールがあっていい。

まずは、まったく政策について知らない状態から、どんな政策があるのかを事例に触れて知り、それぞれの事例の図解と文章を見ながら、その政策についてざっくりと理解してほしい。そして、本書を通じて特に関心を持ったり、自分が当事者だと感じた政策については、自分でさらに調べてみたり、実際に行動してみてほしい。

本書を通じて、
政策を知るためのハードルが下がり、
多くの人にとって政策が
身近なものとなることを願っている。

0　図解総研は、ビジネスモデル、会計、共創、政策のような複雑な概念を共通の型で構造化して図解することで、相互理解のコミュニケーションコストを減らし、多様なステークホルダー同士の共通言語を生み出すビジュアルシンクタンク。これまで出版した主な書籍に『ビジネスモデル2.0図鑑』『会計の地図』『パーパスモデル:人を巻き込む共創のつくりかた』がある。https://zukai.co

CONTENTS

事業活動を支える

労働環境を支える

技術開発を支える

市場環境を支える

002 社会を支える

教育 を支える

地域 を支える

健康・医療 を支える

生活 を支える

社会基盤 を支える

自然環境 を支える

本章の前に

ここから50の政策を紹介していく。大きく「経済を支える」と「社会を支える」というふたつのカテゴリーに分けて紹介していく。また、その中にそれぞれ6つの小カテゴリーがある。あくまで本を見やすくするためのカテゴリー分けのため、厳密には複数にまたがるものもあり、便宜的なものだとご承知おきいただきたい。

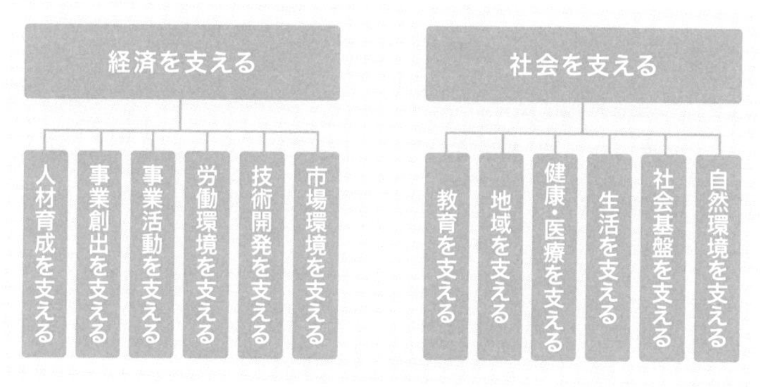

［図］本書における政策の分類

50の政策を共通の型で紹介する

本書では、50の政策を紹介している。50の政策はすべて「政策図解」というフレームワークで表現されている。

政策図解とは、「政策」を共通の型で整理・可視化するツールである。政策図解を見ることで、その政策が、「誰に対して」「誰が」「何のために」「どんな手段で」行われているか、政策の概略をつかむことができる。

図解はあくまでシンプルに概略だけつかむものであるので、政策の多くを語れるわけではない。そのため、補足として、文章での解説もセットでつけている。おすすめの読み方は、まず図解を読んで概略をつかみ、その上で気になった政策について文章を読むといったものだ。図解より文章の方が理解しやすいという方は順番を逆にしてもいい。

それではここから、政策図解の読み解き方について紹介しておこう。

政策を知るための「政策図解」

政策図解は、1 枚で政策の基本的な情報をモデル化するものだ。政策図解は、3 × 3 のマス目に配置するルールになっている。

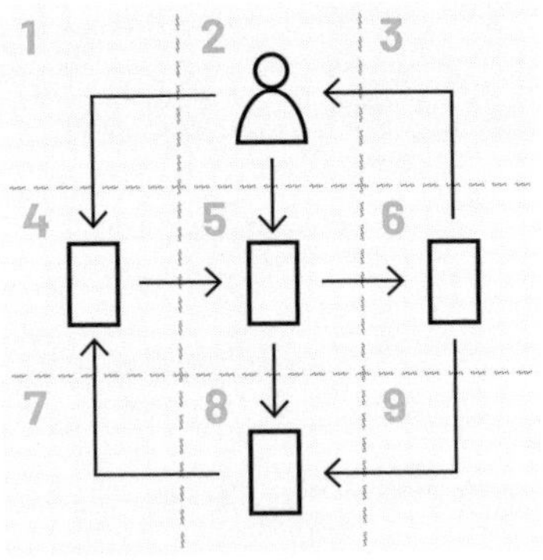

［図］政策図解は3×3におさめるルール

本来、政策は多様な関係者がいて、この少ないマス目に情報をおさめることなどできないが、あえてこのルールを設けた。情報量を絞り優先順位をつければ、その政策の本質的な部分がわかる。

この政策図解は、3段の構成になっているが、ここが政策を読み解く上で重要だ。上が対象者の段、中央が政策の段、下が実施者の段となっている。

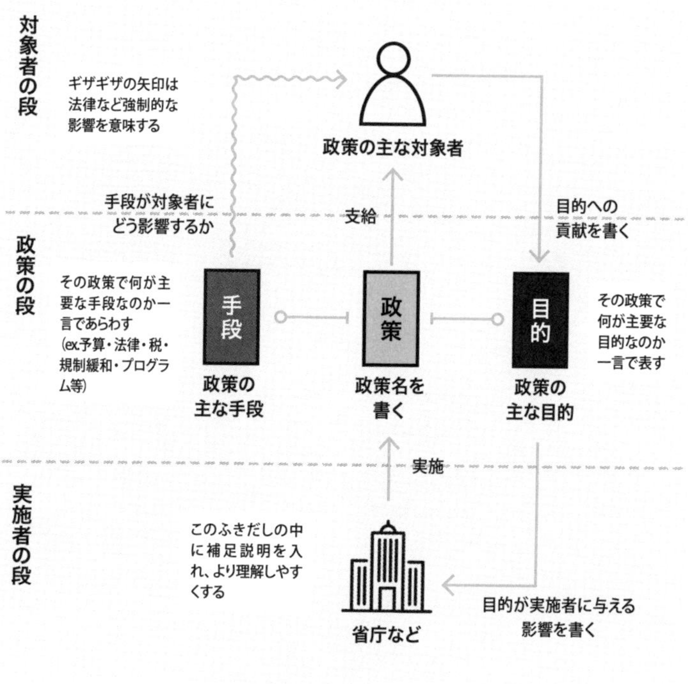

［図］政策図解の基本モデル

上の段の対象者とは、その政策によって影響を受ける人や組織等のことである。一方、下の段の実施者には、政策を実施する行政機関が入る。一番重要なのが中央の政策の段だ。真ん中に図解対象の政策の名前、右に政策の目的、左にその目的を達成するための手段を表現している。

つまり、この表では、「だれに」「なぜ」「どのように」「だれが」という要素が場所ごとに分かれている。このひとつの図で説明することで、政策が理解しやすくなるだろう。

それぞれの段には、主体を配置する。主体はそれぞれ区分ごとにアイコンを使い分けている。

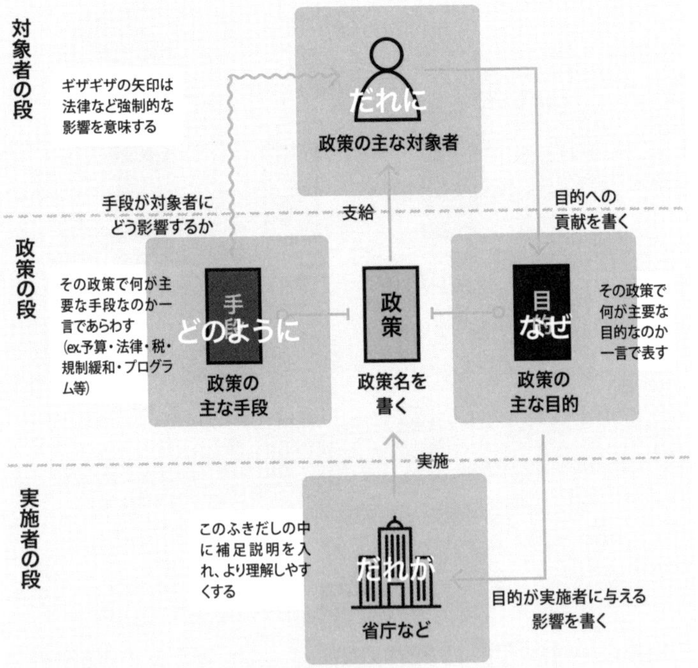

[図]政策図解の基本モデルの意味

［図］政策図解のアイコンの種類

具体的なアイコンの種類は以下の通りだ。

- **国際組織（国際連合など）**
- **複数の国（締約国・加盟国・開発途上国など）**
- **単一の国（国・地域など）**
- **中央省庁**
- **地方自治体**
- **独立行政法人・国立研究開発法人・特殊法人・他**
- **大学**
- **民間企業**
- **人の集合体（産学官・実証グループ・コンソーシアムなど）**
- **人**

政策は国家を越えた取り組みや特定の地域にいたるまで、範囲はさまざまある。そのため、一口に政策といえども、省庁だけで完結するわけではない。複数の国が関係することもあれば、地方自治体や企業、個人など多種多様なステークホルダーが関係している。たとえば、パリ協定は世界中の国々がかかわる国際的な政策であるが、地域おこし協力隊は省庁だけでなく地方自治体と個人の連携も重要な政策である。詳細は本編で確認してほしいが、ここまでの説明からも、政策の規模の違いが相当程度大きいことがわかるだろう。

こうした政策の規模の違いや、その規模感に応じたステークホルダーの違いを直感的にわかりやすく理解しやすくするために、アイコンでステークホルダーを分けて表現している。

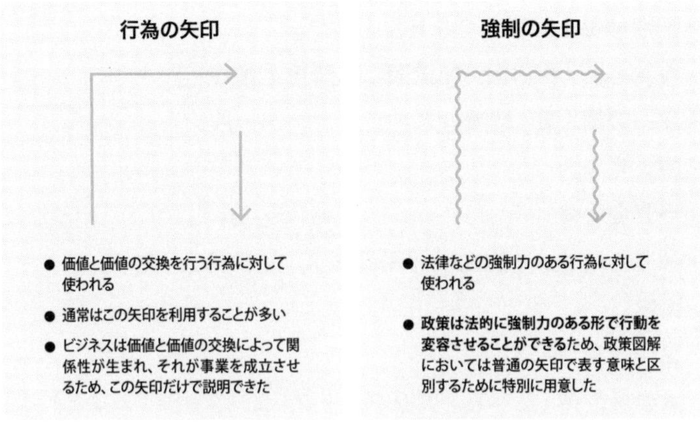

[図]政策図解の大きな特徴である矢印の使い分け

政策図解で使う矢印はふたつ。行為の矢印と強制の矢印だ。直線の矢印は、価値と価値の「交換」を表すときに使う。たとえば、ビジネスの世界のように、相手にお金を払う代わりにサービスを提供してもらう、というような関係性だ。

強制の矢印は、相手に「強制的に行動を変容させる」ことを表すときに使う。政策は、法律によって、相手に対して強制力を行使することができる。これは、通常のビジネスのような、価値と価値の交換とは異質のものであるため、政策図解では区別して表記している。

政策図解はコミュニケーションツール

コミュニケーションツールとしての有用性

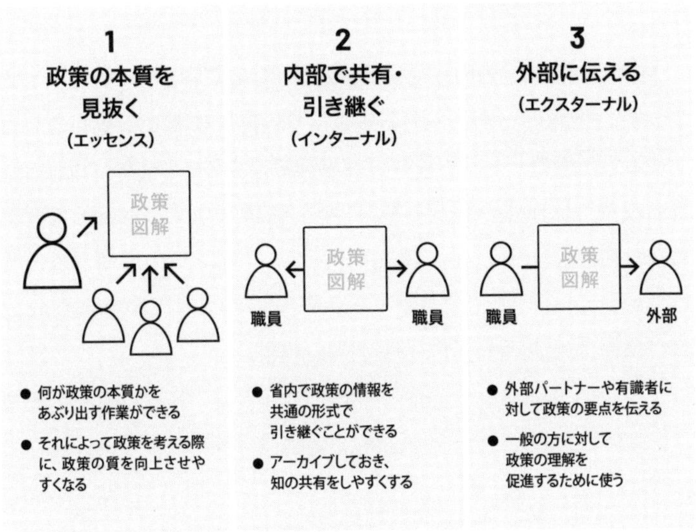

[図]コミュニケーションツールとしての有用性

政策図解は、コミュニケーションツールとして3つの効果を目的につくられた。

1. 政策の本質を見抜く(エッセンス)

2. 内部で共有・引き継ぐ(インターナル)

3. 外部に伝える(エクスターナル)

ひとつめは、図解にすることにより、何が政策の本質かをあぶり出すことができること。

ふたつめは、省庁職員の間で政策の情報を共通の形式で引き継ぐことができるということだ。アーカイブしておき、知の共有をしやすくすることだ。

３つめは、政策を外部パートナーや有識者、一般の人たちに向けてわかりやすく伝えるツールにすること。

政策図解は、政策をシンプルに１枚の図で表現する。これによって、ふだん政策についてなじみのない人でも、手軽に政策の情報に触れることができる。しかし、そのフォーマットの制約上、政策にかかわるすべての情報を網羅できるわけではない。あくまでも、政策の重要なポイントに絞って、「だれに」「なぜ」「どのように」「だれが」という要素で整理したものだ。特に３つめのように使う人は少ないかもしれないが、多くの人に政策に興味を持っていただき、さまざまに使ってほしい。

50個の政策について、どれから読んでもらっても構わない。こんな政策があったんだ、名前は知ってるけど中身についてはよく知らないな、というように、きっと政策が楽しめるはずだ。

001

経済
を
支える

人材育成を支える

事業創出を支える

事業活動を支える

労働環境を支える

技術開発を支える

市場環境を支える

人材育成 を支える

- ☑ 始動Next Innovator
- ☑ 未踏
- ☑ 教育訓練給付制度

政策名

始動Next Innovator

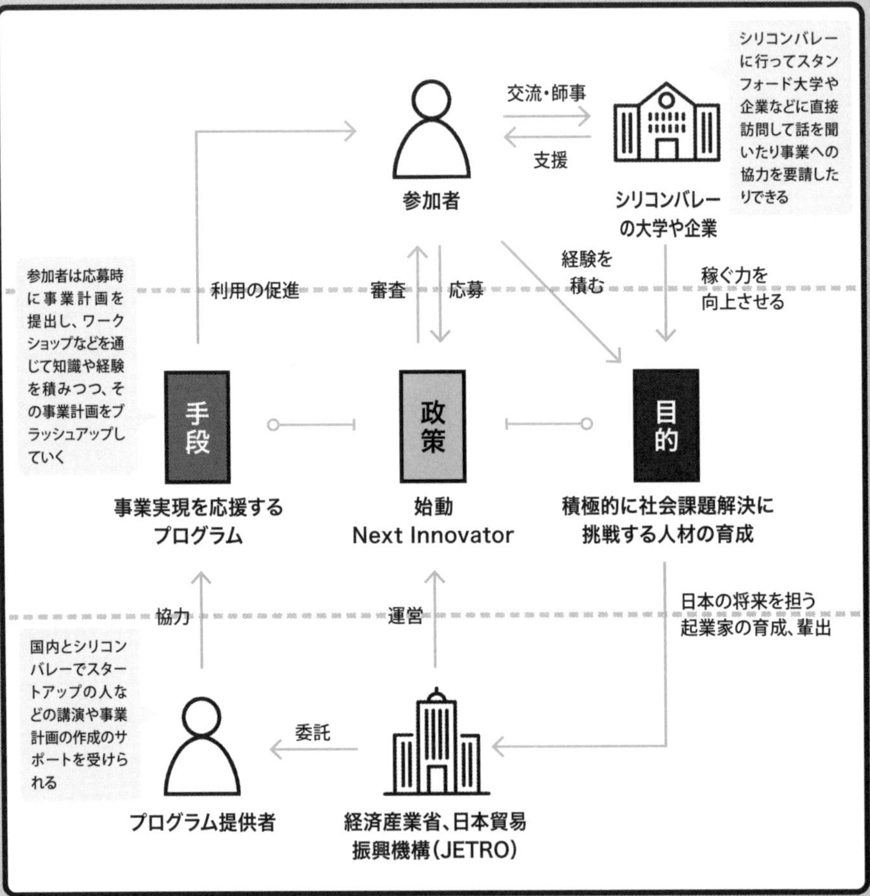

グローバルな起業家の育成を支える

グローバルな起業家を育成するために シリコンバレーへ連れて行く

「始動 Next Innovator（以下、始動）」は次世代のイノベーションの担い手を育成するために2015年につくられたプログラムだ。特に、グローバルな起業家を育成することに重きを置いている。

このプログラムの参加者は、まずは国内で起業家や専門家を交えた研修を受けたり、事業についてプレゼンをしてフィードバックを受けたりすることで、新規事業立ち上げに必要なスキルやマインドセットを実践的に学ぶ。

また、**研修後のピッチコンテストで自分の事業計画が選抜された場合は、起業の環境が整っているシリコンバレーに行って、現地のベンチャーキャピタルや、起業家などの講演を聴いたり、事業について話をしてアドバイスをもらったり、必要なら一緒に事業をやらないかと話をすることもできる。**

プログラムへの参加者は、日本中から募集し、選考される。参加要件は、事業コンセプトをまとめた書類と、ビジョンや熱意を表す動画のふたつだ。これを審査し、合格した人を対象とする。ちなみに、2018年の参加者の年齢を見ると、最年少は21歳、最高齢は58歳と幅広い。学生や研究者、事業経験を持つ起業家など、さまざまな人を対象に募集をしている。

なお、このプログラムは無料で参加できる。参加が必須のプログラムがあり、そこで日程を合わせる必要があるなどの条件はあるが、そこさえ満たしてしまえば応募できる。プログラムの特徴は、国内だけでなく、国外での研修やネットワークづくりを含めたプログラム内容であることだろう。

始動はシリコンバレーの資源を生かすためのプログラム

なぜシリコンバレーを巻き込んだプログラムになっているのかというと、「始動」が「シリコンバレーと日本の架け橋プロジェクト」という政府の掲げたプロジェクトの一部だからである。

「シリコンバレーと日本の架け橋プロジェクト」として、政府は「人材」「企業」「機会」の観点からシリコンバレーの資源を活かすプログラムを実施して、グローバルに通用するイノベーションを持続的に創造できるしくみをつくることを目指している。

その一環として、**「始動」では日本国内の専門家や起業家はもちろんのこと、シリコンバレーの起業家たちとのネットワークも生かしつつ、グローバルに活躍できる人材を日本から生み出そうとしているのである。**

なお、始動はアラムナイ[1]コミュニティが非常に強固である。アラムナイコミュニティとは、始動のプログラムに過去に参加した卒業生同士のつながりのこと。

2015年のプログラム開始から数百人の卒業生が出ており、プログラム実施年度にかかわらず業界・世代を超えたつながりが生まれている。

1　アラムナイは卒業生、同窓生という意味

未踏

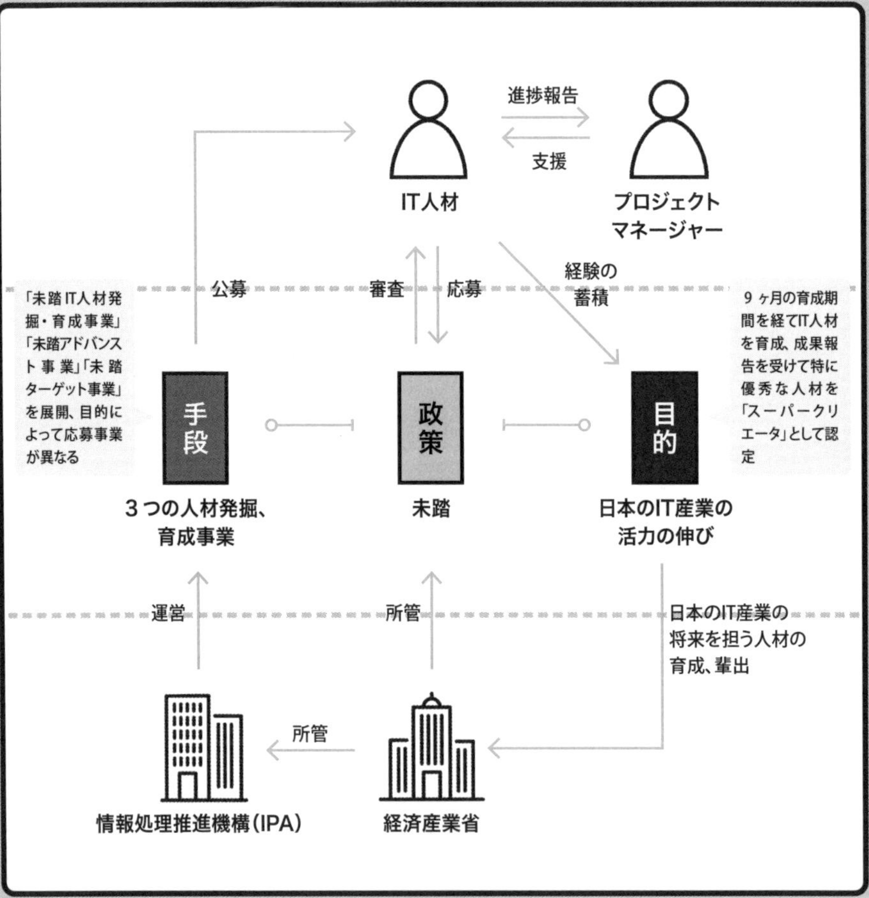

企業ではなく、IT産業の将来を担う「個人」を支援する

イノベーションを生み出す「個人」を発掘するプログラム

「未踏」は、突出したIT能力を持つ人材の発掘・育成を目的とする、IT人材発掘・育成プログラムだ。要はソフトウェアをつくる“個人”に補助金を出す、という政策である。

それまでソフトウェアをつくるための補助金の主な対象は企業であり、個人ではなかった。しかし、ソフトウェアをつくる人材は、個人の才能や力に大きく依存するため、これまでのように企業を対象とするのではなく、個人を中心として補助金を出そうということになった。その背景として、未踏が始まった2000年当時、日本はIT活用に関して欧米諸国に大きく後れを取っているという危機感があった。その中で、GoogleやAmazonのように、市場を席巻するソフトウェアが強い個人から生み出されていることを踏まえて、才能のありそうな人材を発掘し、さらに育成するような国家プロジェクトとして、未踏がはじまったのである。

そこから20年以上経ち、その内容が徐々に更新され、今では対象や目的の異なる3つのプログラムで構成されている。

ひとつめは、「未踏IT人材発掘・育成事業」だ。

これは、ソフトウェア関連分野でイノベーションを生み出せるような技術力やアイデアを持つ25歳以下の個人を「クリエータ」として発掘・育成していくプログラムである。優れた実績や能力を持つ「プロジェクトマネージャー（PM）」からの指導や助言のもと、クリエータは自分が提案するテーマについて開発プロジェクトを実施する。

プログラムを通じて特に優れているとPMが認めたクリエータは「スーパークリエータ」の候補として選出され、審査を経て認定される。現在は2022年度までの審査を終えており、スーパークリエータは408名発掘・育成されている[2]。

ふたつめは、「未踏アドバンスト事業」だ。

これは、「未踏的人材」と表現される、ITを駆使してイノベーションを創出できる優れたアイデア・技術力を持つ人材を、その能力を最大限発揮できるように、PMのもとで育成するプログラムである。

サービスや企画の構想を練っていたり、サービスのプロトタイプ開発が継続されているような段階のアイデアを持っている個人が対象となる。アイデアの実現を目指すプロジェクトを通して、自分の能力を高めていく。「未踏IT人材発掘・育成事業」と異なる点は、年齢制限がないことだ。また、PMだけでなく、「ビジネスアドバイザー(BA)」による、資金調達などの経営課題や法律や知財などの支援も受けられること等がある[3]。

3つめは、「未踏ターゲット事業」だ。

これは、「未踏的IT人材」と表現される、ITを駆使してイノベーションを創出できる優れたアイデア・技術力を持つ人材が、次世代IT技術を活用して自らのアイデアや技術力を最大限に活かせるように支援を行うプログラムである[4]。

これからの社会で必要なジャンルが中心

このプログラムも、PMや大学等の助言に基づいてプロジェクトを推進することを通じて自分の能力を向上させるという点では他のプログラムと似ているが、大きく違う点は、募集するテーマが事前に定められていることだ。

2021年度までは、これからの時代に必要な量子コンピューティング技術に関する自らのアイデアや技術力を活かしたプロジェクトの提案を募集してきたが、2022年度はこれに加え、新たに量子コンピューティング技術を活用して「カーボンニュートラルの実現に資する内容」に焦点を当てたプロジェクトの提案を募集した。

量子コンピューティングは可能性が大きい技術であるものの、産学連携の担い手不足や、ビジネス人材と研究者のスタンスの違い等によるコミュニケーションの問題、社会実装する上でのステップごとに必要な人材がばらばらに存在してうまく連携ができていないこと等が課題であった。

その打開策として、中長期の人材育成を通して多様な人材が実際に技術に触れる機会を生み出し、量子コンピューティングに参入する障壁を下げようとした[5]。

また、日本は2050年にカーボンニュートラルを達成することを目指しており、そのシミュレーションなどのために、複雑で膨大な計算が必要になることが考えられる。それを処理するために量子コンピューティング技術を活用したいとの期待から、カーボンニュートラルに焦点を当てた公募を始めることとなった[6]。

未踏事業統括プロジェクトマネジャーを務める竹内郁雄氏、夏野剛氏は「DX（デジタルトランスフォーメーション）の必要性が喫緊の課題となる中で、“未踏人材”の存在感はますます高まっています」と語る。

2 情報処理推進機構.「未踏スーパークリエータ」. 2023年
https://www.ipa.go.jp/jinzai/mitou/it/qv6pgp0000002gvb-att/about_mitou_supercreator.pdf

3 情報処理推進機構.「未踏アドバンスト事業について」. 2023年
https://www.ipa.go.jp/jinzai/mitou/advanced/about.html

4 情報処理推進機構.「未踏ターゲット事業について」. 2023年
https://www.ipa.go.jp/jinzai/mitou/target/about.html

5 量子ICTフォーラム.「イジングマシン技術と応用、産学連携の鍵とは？」（参照 2023-5-16）
https://qforum.org/topics/interview11

6 環境展望台「経産省とIPA、未踏ターゲット事業に『カーボンニュートラル部門』を設置」. 2021
https://tenbou.nies.go.jp/news/jnews/detail.php?i=32970

政策名

教育訓練給付制度

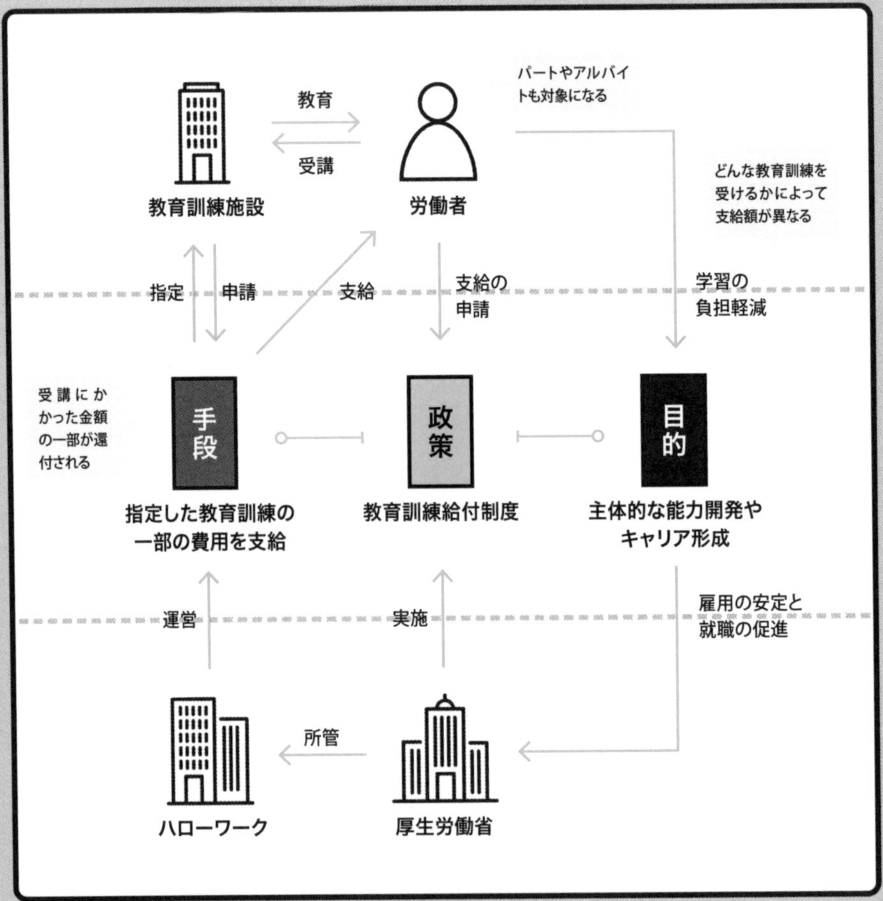

キャリアアップのための
お金を補助する

キャリアアップにかかる費用を国が負担してくれる

この制度は、働く人の能力開発やキャリアアップを支援するために、国（厚生労働大臣）が教育訓練講座の受講にかかった費用の一部を負担する制度である。

教育訓練給付の対象者は、雇用保険の被保険者または以前に被保険者だった人だ。正社員だけでなくパートやアルバイト、派遣労働者も対象だ[7]。対象者や要件が複雑であり、また国が指定した講座に限られるが、厚生労働省ウェブサイトのQ&Aや居住地を管轄するハローワーク等へ問い合わせて確認することが可能だ。

受講修了日の翌日から1ヶ月以内に、教育訓練を終了した証明書などの書類をハローワークに提出すると、給付金が支給される。

この制度が生まれたのは1998年。当時の日本は、前年に起こったアジア通貨危機や消費税の3％から5％への引き上げなどの影響もあり、不況の真っただ中であった。さらに、景気の低迷とともに完全失業率も上昇を続けてい[8]た。こうした背景において労働者を支援するために、「教育訓練給付制度」が創られた。

現在は、健康寿命が世界一の長寿社会である日本で、若者から高齢者まですべての人に活躍の場がある社会を実現することや、少子化によって生産年齢人口[9]が減少することから懸念される将来的な労働力不足の解決を目指すためなどに活用されている。

これらの課題の解決にあたっては「人への投資」が重要視されている。「教育訓練給付制度」は、幼児教育から社会人の学び直しに至るまで生涯にわたる学習・教育に対する継続した支援として、人への投資の役割を担っている。

また、教育というと学校だけが対象なのかと思われるかもしれないが、企業も教育訓練講座の対象となることができる。ただし、そのためには、厚生労働省へ申請し、調査・審査を経て認められる必要がある。申請の際には、法人格が必要の上、1営業年度[10]以上の教育訓練事業の実績があることが必要など、細かな条件が定められている。

教育訓練給付制度の対象となっている教育訓練には約1万4000講座があり、対象となる教育訓練によって、3つの給付の種類が存在する。「一般教育訓練給付」「特定一般教育訓練給付」「専門実践教育訓練給付」の3つだ。

給付対象は、仕事に直結しやすいものが中心

「一般教育訓練給付」は、就職や転職に直結しやすいものを対象に、受講費用の20%（上限10万円）が給付される。たとえば、大学院へ進学し修士や博士などの学位の取得をするものや、ITパスポート・簿記検定・英検などの資格を取るための講座がある。

「特定一般教育訓練給付」は、労働者が再就職したり、早期にキャリア形成につながるものを対象にしたものだ。受講費用の40%（上限20万円）が給付される。業務独占資格[11]などの取得を目的とした講座やデジタル関係の講座などがある。たとえば、介護職員初任者研修、大型自動車第一種・第二種免許、税理士といった業務独占資格を目指すための講座や、IT関係資格取得講座などがある。

「専門実践教育訓練給付」は、労働者の中長期的なキャリア形成につながるものを対象にしている。受講費用の70％（年間上限56万円。最長4年のため上限224万円）が給付される。

専門性の高い弁護士や公認会計士といった業務独占資格などの取得を目的とした講座やデジタル関係の講座、大学院・大学の課程、専門学校の課程などがある。たとえば、大学院でもMBAや法科大学院といった専門職になるための学位を取得する課程や、社会福祉士や看護師といった業務独占資格などの取得を目指すためのデジタル関係の講座がある。

これら3つを比較すると、専門実践教育訓練給付は70％、特定一般教育訓練給付は40％、一般教育訓練給付は20％という給付率である。より専門性が高まる内容の訓練の方が、受講費用を多く給付してくれるということがわかるだろう。

なお、どんな講座が教育訓練給付制度の対象になるのかは、厚生労働省の用意した検索システム[12]から探すことができる。

7 ハローワークインターネットサービス.「教育訓練給付制度」.
https://www.hellowork.mhlw.go.jp/insurance/insurance_education.html
対象者は、以下①または②を満たし指定の教育訓練を修了した者である
①雇用保険の被保険者(在職者)で、受講開始日時点で雇用保険の支給要件期間が3年以上ある者
②雇用保険の被保険者であった方(離職者)で、受講開始日が被保険者資格を喪失した日(離職日の翌日)から1年以内であり(適用対象期間の延長が行われた場合は最大20年以内)かつ支給要件期間が3年以上ある者
なお、①②いずれも初めて教育訓練給付の支給を受ける場合の支給要件期間については、「一般教育訓練給付」及び「特定一般教育訓練給付」は1年以上、「専門実践教育訓練給付」は2年以上であれば認められる

8 厚生労働省.「労働経済の分析」. 平成11年版, 1999. https://www.mhlw.go.jp/www2/info/hakusyo/990702/990702-1-1.htm
1997年の年平均完全失業率は3.4%と比較可能な1953年以来最高水準であった(1996年も同水準)また1998年の年平均完全失業率は97年を更に上回る4.1%であった

9 総務省.「情報通信白書 第1部　特集 情報通信白書刊行から50年～ICTとデジタル経済の変遷～」. 令和4年, 2022年
https://www.soumu.go.jp/johotsusintokei/whitepaper/ja/r04/html/nd121110.html
生産年齢人口等とは、15歳以上65歳未満の生産活動の中心にいる人口のこと。1995年をピークに減少しており、2050年には5,275万人(2021年から29.2%減)に減少すると見込まれている

10 厚生労働省.「教育訓練給付の講座指定等に関するQ&A」.
https://www.mhlw.go.jp/stf/seisakunitsuite/bunya/koyou_roudou/jinzaikaihatsu/kyouiku_qa.html
営業年度とは、定款等に記載されている会計年度等であり、たとえば、営業年度(会計年度)が4月1日～3月31日の教育訓練事業者が10月に指定申請を行う場合、前年の4月1日以前から教育訓練事業を行っていることが必要となる

11 文部科学省.「国家資格の概要について」.https://www.mext.go.jp/b_menu/shingi/chousa/shougai/014/shiryo/07012608/003.htm
業務独占資格とは、国家資格の分類のひとつで、弁護士・公認会計士・医師など、その資格を有する者でなければ携わることを禁じられている業務を独占的に行うことができる資格のこと

12 厚生労働省.「教育訓練講座検索システム」　https://www.kyufu.mhlw.go.jp/kensaku/

政策は日常の延長にある

　ここまで読んで、政策は、私たちの生活に幅広く影響を及ぼしているのがわかっただろうか。日常に入り込みすぎて普段はあまり意識することはないかもしれない。しかし、そのことが、私たちの生活に、政策が空気のようにあまり意識されず入り込んでいる証拠とも言える。それに自覚的であるかどうかが、私たちの生活の質を大きく決めるだろう。

　特に、大きな「社会問題」に対して、大きな影響力を持つのが政策だということがわかったと思う。では、そもそも政策は誰がつくっているのかを疑問に思った人もいるかもしれない。これからコラムでは、政策は誰がつくっているのか、どんなプロセスを経てできるのかなど背景を説明していきたい。

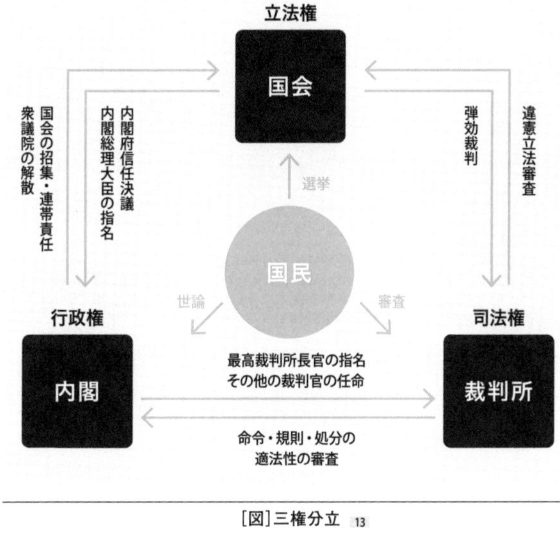

[図]三権分立 13

政策は誰がどのようにつくるか

そもそも政策の大前提として、日本には「三権分立」というしくみがある。三権分立とは、立法権、行政権、司法権という3つの権力をそれぞれ独立した機関が持つようにしたものだ。これらは互いに監視しあっている。そうすることで、権力の暴走を防ぐ。

立法権は国会が持ち、行政権は内閣が持ち、司法権は裁判所で持つことが憲法で定められている。簡単に言うならば立法権は法律をつくる権利で、司法権は法律によって裁く権利のことだ。

最後の行政権だが、これはなにかを説明するのは他とくらべて難しい。「立法権と司法権以外の権利」などと説明されていたりするくらい、範囲が広い。法律にもとづいて政治を進める権限だとも言われる。“政治を行う”と書く「行政」という言葉のとおりだ。

行政権を持つ内閣は、国会で内閣総理大臣が指名されることからはじまる。さらに、内閣総理大臣が国務大臣を選び、国務大臣が省庁を束ねていくことになる。たとえば総務省の長は総務大臣、法務省の長は法務大臣、というようにだ。

内閣の下には内閣府や省庁、委員会があり、それぞれの役割を担っている。行政はこのような分担によって成り立っている。こうした担い手を、まとめて行政機関という。

政策の内容によって、どの省が担当するか変わってくる

政策は、内容によって、どの行政機関が担当するかが変わってくる。省は、総務省、法務省、外務省、財務省、文部科学省、厚生労働省、農林水産省、経済産業省、国土交通省、環境省、防衛省の11に分かれており、それぞれ担当している分野が異なる。

たとえば、経済産業省は、その名の通り、日本の経済や産業を推し進めるような政策を担当している。具体的には、産業政策、中小企業やベンチャー企業の支援、国際競争力の強化、エネルギー政策、知的財産政策、地方経済の振興などを行っている。

ほかにも、厚生労働省なら、社会保障政策や医療政策、労働政策、高齢化対策、子育て支援などを担当している。2021年にはデジタル庁が発足し、内閣のもとに直接設置されている。そのため、強い権限を持って省庁を横断してデジタル化に取り組むことができる[14]。

会計検査院は、監査を行うという役割の特性上、日本で唯一内閣に属さない行政機関となっているため、次ページの図上でも線が結ばれていない。このように、それぞれの行政機関には担当分野があり、政策ごとに最も適しているところが担当したり、いくつかの省庁が合同で担当したりするようなこともある。

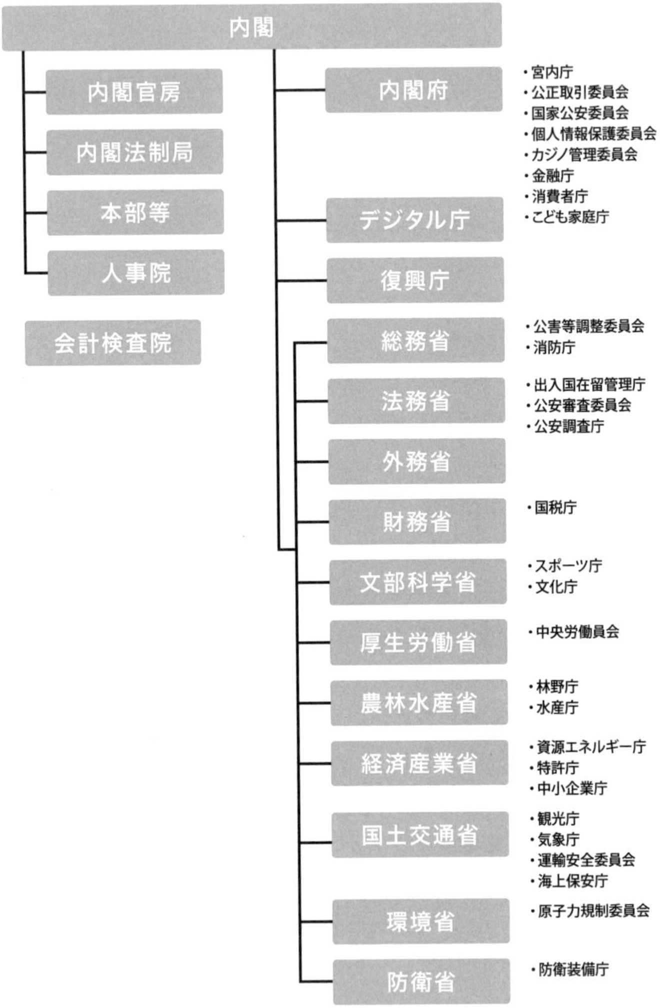

[図]行政機関の組織図 [15]

政策はどのようなプロセスで進むか

では、政策はどのような過程でつくられていくのだろうか。概ね以下の5つのプロセスで進むことになる。

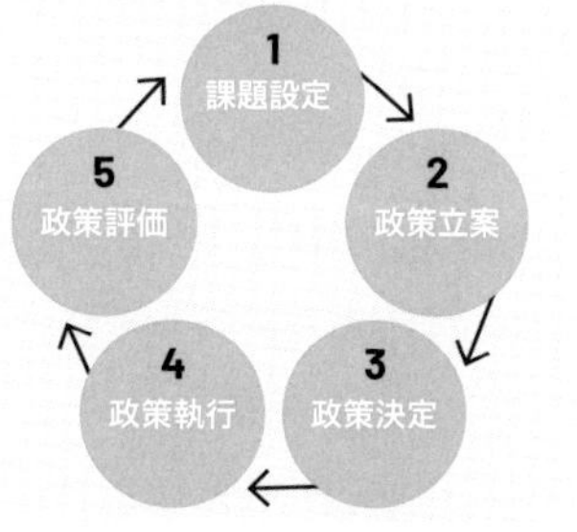

［図］政策形成プロセス

1. 課題設定

まずは社会にある課題を発見し、それを解決する必要性があるかどうかを検討する。ここでは、なぜ発生したのかやどのくらいの範囲で影響するのかなどを調査していく。また、現状だけの把握にとどまらず、あるべき未来を考え、現状と未来のギャップがどこにあるのか、本当に取り上げるべき課題なのか、を深く考える必要がある。

2. 政策立案

政策立案では、課題を解決するための具体的な政策を考え出す。目的や内容、予算、実現可能性などを踏まえて検討し、複数の政策案をつくる。ここでは、官民の関係者や専門家などが参加し、意見交換や情報共有が行われる。各政策案のメリットやデメリット、費用対効果なども考慮される。何年も先の時間軸で考えるので、初年度にまず何を達成するのかといった細かいゴールも設定する。また、目的を達成するための手段として、「政策ツール」も検討する。政策ツールについては114ページのコラムで詳しく紹介する。

3. 政策決定

立案された複数の政策案を、政治家や行政機関などが審議し、最終的に実行にうつす政策を決定する。政策を決めるにあたっては、それぞれの各政策案のメリットやデメリット、費用対効果、社会的な影響などを総合的に見ていき、最適な政策を選ぶことになる。

4. 政策執行

政策執行では、具体的な計画やスケジュールを策定し、関係する機関や団体などが協力して政策を実行する。このプロセスにおいても、官民の関係者や専門家、関係機関や団体などが政策の目標を達成するために協力していく必要がある。政策を執行する上では、予算の管理やプロジェクトマネジメント、リスク管理などの能力も必要とされる。

5. 政策評価

政策評価は、成果や効果を評価するプロセスである。政策評価では、評価方法や評価指標の設定を踏まえて、政策の目的が達成されたかどうか、費用対効果はどうだったか、改善点は何かなどを検討し、今後の政策づくりに役立てていく。

このような5つのプロセスで政策は実行されていく。ここで言いたいのは、政策もビジネスと同様、つくって実施され、評価された上で必要に応じて修正されたり廃止されたりするということだ。大きく見るとこのようなプロセスになる。

13 衆議院サイトから筆者作成

14 デジタル庁は、デジタル庁設置法に規定され、復興庁と同様に国家行政組織法の適用が除外されている

15 内閣官房サイトから筆者作成

事業創出を支える

- ☑ J-Startup
- ☑ 規制のサンドボックス制度
- ☑ エンジェル税制

政策名

J-Startup

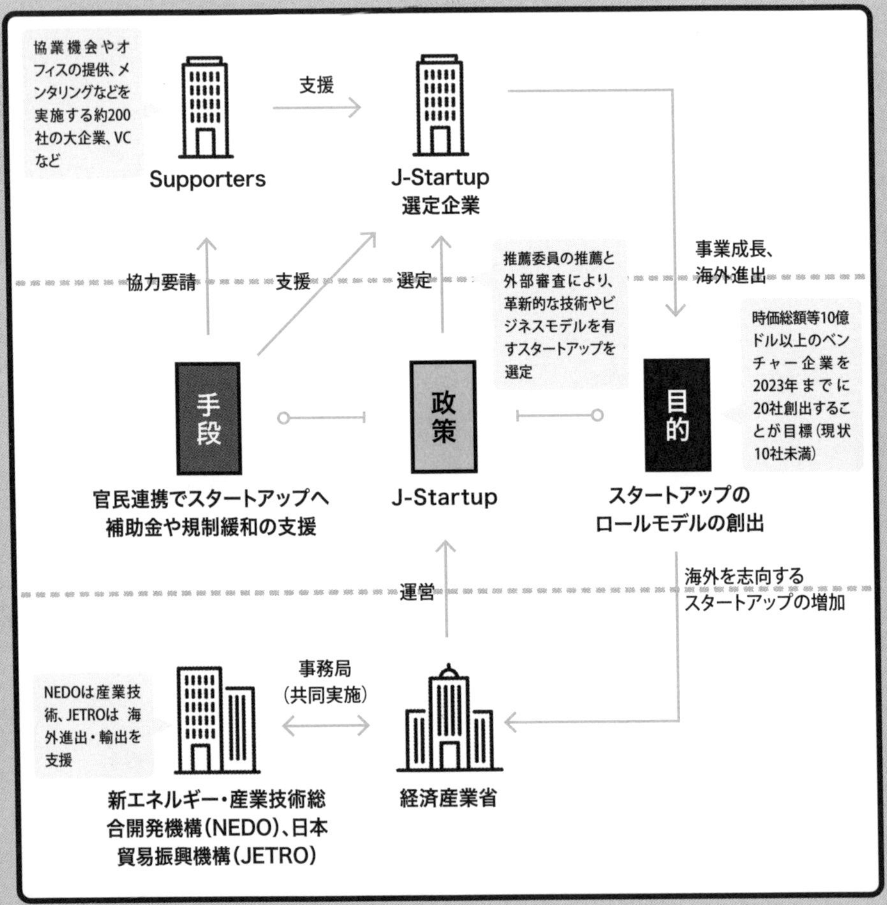

将来有望なスタートアップに
絞って支援する

スタートアップ企業を官と民と両方から支援する

日本には約1万社のスタートアップ企業[16]が存在しているという。通常、このようなスタートアップ企業に向けた政策は、起業家やスタートアップ自体の数を多くすることを重視し、補助金などでまんべんなく企業を支援するものが多い。

一方、ここで紹介する「J-Startup」という支援プログラムは、日本におけるスタートアップ企業のトッププレイヤーをさらに成長させていくために行われるものだ。**対象企業を厳選し、そこに投資していくという新しいアプローチの政策である。**

従来のまんべんなく支援するアプローチからここまで振り切れたのはなぜだろうか？

その背景には、日本のスタートアップ企業に対する強い危機感があった。

日本のスタートアップの課題は、世界で戦えていないこと

現在日本に存在する約1万社のスタートアップ企業の課題は、グローバルに活躍できている企業が非常に少ない、ということだ。

たとえば、ユニコーン企業[17]の数という観点で見てみよう。世界のユニコーン企業は1220社で、最も多いのはアメリカで661社、後に続くのが中国172社、インド72社だ[18]。

一方で日本は7社しかない。**ユニコーン企業の数では世界で**

15番目というのが現状だ。必ずしも、時価総額で測るユニコーン企業の数が増えることだけがいいとは限らないが、ひとつの指標にはなるだろう。

この状況を打開するために政府は、ユニコーン企業または上場ベンチャー企業を2023年までに20社創出する目標を掲げている。J-Startup はそのための政策である。

J-Startup は、トップ層を引き上げることで政府の目標達成を目指すだけではない。ロールモデルを生み出し、起業家マインドを社会全体で醸成し、日本のスタートアップエコシステムの強化を目指す重要施策というわけだ。

それでは、実際に J-Stratup でどのようなことが行われているのだろうか。それは、「選定、支援、海外展開」の 3 つのフェーズごとに見ると理解しやすい。

はじめは「選定」だ。ベンチャーキャピタリストや大企業のイノベーション担当などが、日本のスタートアップ企業の中からイチ押し企業を推薦する。推薦は、ディープテック[19]型・プラットフォーム型・SDGs 型という 3 つのタイプのどれかにあてはまる企業を対象として、ミッション・独自性・成長性の基準をもとに行われる。

その後、外部の審査委員会が推薦内容を尊重しつつ企業をチェック。厳正な審査で選ばれた企業を「J-Startup 企業」として選定する。

次に、「支援」だ。J-Startup 企業に対する支援は、官民連携のコミュニティを通じて行われる。これは行政機関である経済産業省・NEDO(国立研究開発法人新エネルギー・産業技術総合開発機構)・JETRO(独立行政法人日本貿易振興機構)による事務局が中心となっており、その他に200社以上の「J-Startup Supporters」と呼ばれる民間の支援機関と、J-Startup 企業によって構成されている。このコミュニティがあることで、J-Startup 企業は政府と民間の支援をタイムリーかつスピーディに受けることができる。

日本国内の足固めをして、海外に出やすくする

具体的な支援内容についても一部紹介しよう。

政府は、J-Startup 企業が政府の施策を活用しやすくなるよう、優先枠や加点制度を設けて支援している。たとえば、政府が民間企業に対して業務を発注(これを「調達」という)する際には、通常であれば案件ごとに入札に参加できる企業が制限されている。

しかし、J-Startup 企業はすべての入札に参加できるよう優遇されている。

一方、民間からの支援は、J-Startup Supporters のそれぞれの特徴を活かした支援がなされる。民間企業との協業機会の提供や、経営層・社内専門人材などによるメンタリング、オフィススペース・実証実験場の提供などがある。

J-Startup 企業はこうした支援を経てさらに成長し、「海外展開」に向けてコマを進める。先進地域に設置された現地の情報提供やコミュニティーづくりを支援する「JETRO グローバルアクセラレーション・ハブ」や、グローバルな展示会への出展が可能になる

「Startup ツアー」など、J-Startup 事務局によって提供される制度をさまざまに利用できる。トップ層向けの集中支援、かつ官民連携だからこそ実現できる、多角的な支援だ。

新型コロナウイルス感染症拡大の影響により、消費者・事業者の心理・行動は大きく変化した。Zoom が急激に普及したように、スタートアップ企業の新しい技術・サービスによって社会課題を解決することへの期待も今まで以上に高まってきている。

2023年４月現在、J-Startup 企業として登録されているスタートアップ企業は240社ほど。この中から日本を代表するスタートアップ企業が育っていく過程にぜひ注目してみてほしい。

16 新しいビジネスを考えて、新たな市場を開拓し、社会に新しい価値を提供したり、社会に貢献することによって事業の価値を短期間で飛躍的に高め、株式上場や事業開拓を目指す企業や組織を指す

17 評価額が10億ドル以上で設立10年以内の非上場のベンチャー企業

18 米国CB Insights.「The Complete List Of Unicorn Companies」. 2023.
https://www.cbinsights.com/research-unicorn-companies

19 内閣府.「世界に伍するスタートアップ・エコシステムの形成について」. 令和4年 , 2022.
https://www8.cao.go.jp/cstp/tyousakai/innovation_ecosystem/about_ecosystem.pdf
先進材料、AI、バイオ、ブロックチェーン、ドローン・ロボティックス、光・電子、量子コンピュータ等の先端技術のこと。一般的に、商業化までに長期的な研究開発と多額の設備投資を要する

政策名

規制のサンドボックス制度

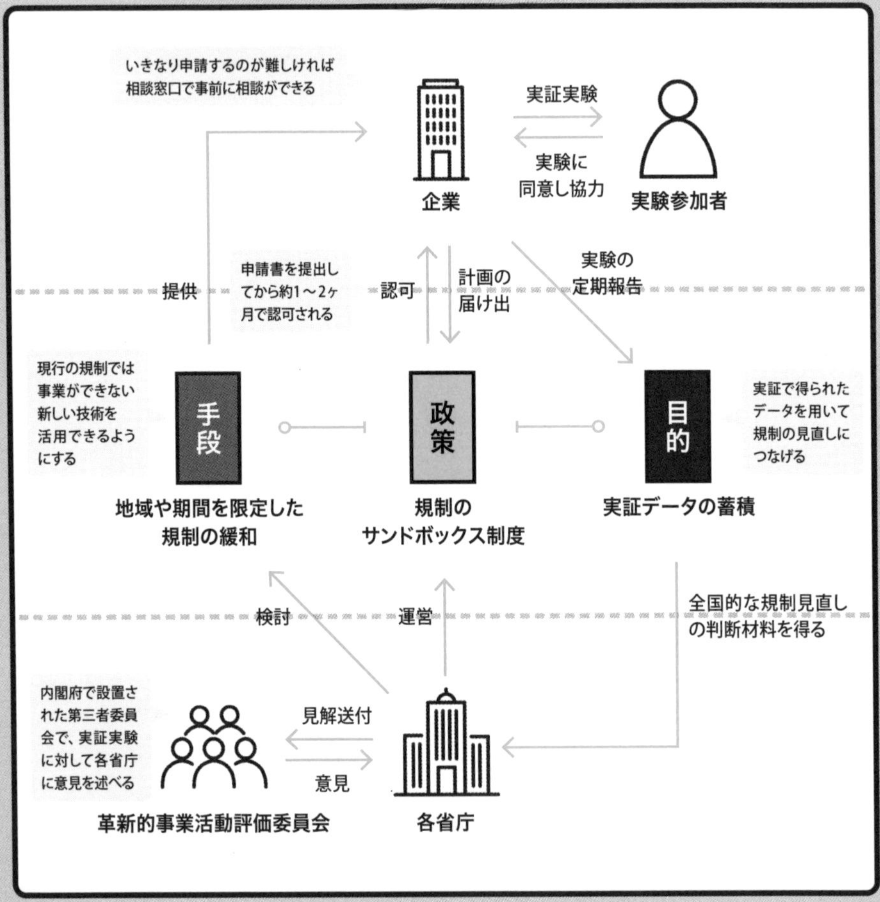

新しい技術が実用化できるように、
今ある規制を見直す

古い規制があるために
新しい技術がつくりにくいことから生まれた制度

規制のサンドボックス制度とは、企業が、さまざまな規制を気にせず、実証実験が試験的に行える制度のことだ。AI やドローン、自動運転など、新しい革新的な技術が次々と生まれているにもかかわらず、多くの法律はそうした技術が想定されていない時代につくられている。**そのため、企業が新しい技術を活用して事業にしたいと考えても、古い規制が足かせになってしまい新しい実験ができないことがある。**企業が新しい技術を活用するためには、古い規制によって足止めされないような環境を整えていくことが必要だ。

規制のサンドボックス制度によって、地域や期間を限定した上で、新しい技術やサービスを事業化する前段階にこの政策を通じて、政府に対して規制の緩和を求めることができる。

しかし、規制を緩和するにしても、判断するためのデータが必要だが、規制している方は新しい技術についての知見が乏しいこともあり、緩和の判断が難しい。そこで、それぞれの企業が実証実験の計画を作成し、それを政府が認定して、その地域で技術やサービスを試しながら知見をためて、どう規制を全国的に緩和していくかを判断するというやり方を始めたのがこの制度だ。そのため、図解の中では「実証データの蓄積」を目的としている。これにより、実証を迅速に可能にしつつ、規制の緩和が根拠を持ってできる。

具体的な流れとしては、企業がやりたい実証の事業化計画を所管する省庁へ届け、そこで認定をされると、実証実験が行える。その成果を定期的に省庁に報告するのだ。

こうして、全国的に規制全体をどう見直していくべきかを政府が判断する。また、認定を受けた実証実験については内閣府や各省庁で内容も見ることができる。

たとえば電動キックボードのシェアリング事業を例に見てみよう。これは、2019年に規制のサンドボックス制度に基づきスタートアップによって実証実験が実施された。その実績を踏まえて国土交通省により、道路交通法上での位置付けが確認され、2021年から事業化が進んだ。

企業がこの政策にアクセスしやすくないと意味がない

これからの社会では、これまでの事業区分にまたがる新事業がスタートアップ等により多く生み出されるだろう。こうした事業が新しい産業として成長するには、迅速な規制の見直しによる市場ルールのアップデートが必須となる。

一方で、スタートアップをはじめとする事業者がこれらの制度を知り、行政にアクセスしやすい環境を整備しなければそもそも活用されない。

ちなみに、2022年９月末時点では、この政策が使用されたのは15件となっている。規制緩和を推進するには手続きのハードルをさらに下げる施策も検討する必要があるだろう[20]。

20 経済産業省.「グレーゾーン解消制度・プロジェクト型『規制のサンドボックス』・新事業特例制度」. https://www.meti.go.jp/policy/jigyou_saisei/kyousouryoku_kyouka/shinjigyo-kaitakuseidosuishin/index.html

政策名

エンジェル税制

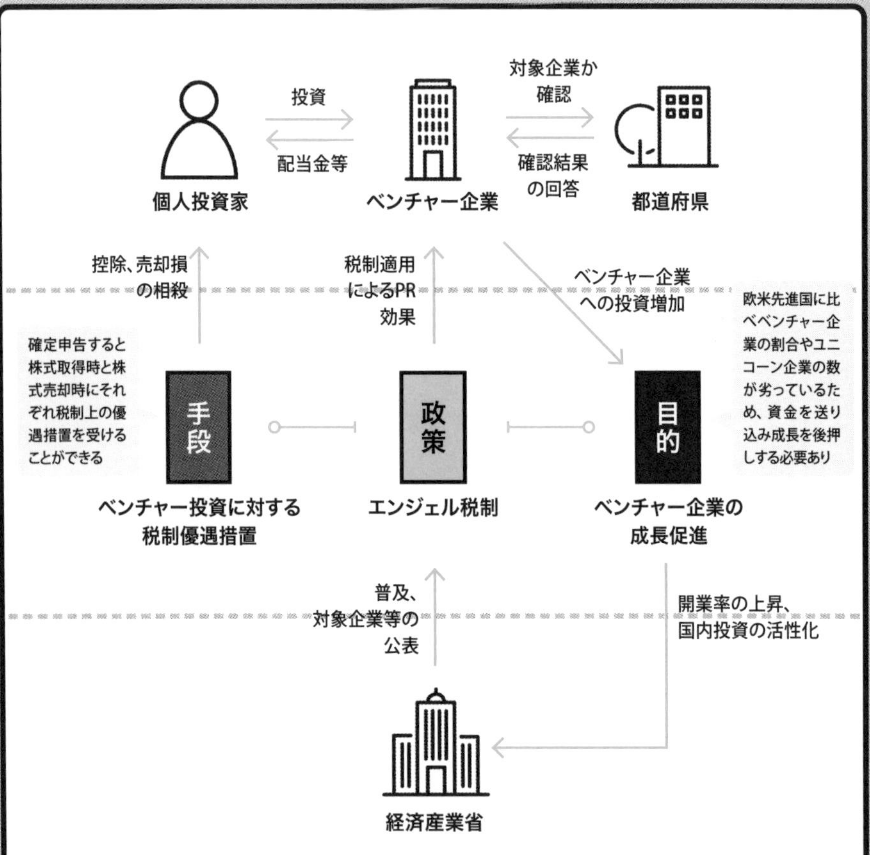

ベンチャー企業に投資する個人投資家へ、税を優遇する制度

リスクの大きいベンチャー投資で税金を優遇し、投資家を後押しする

エンジェル税制は、ベンチャー企業に投資した個人投資家の節税になる制度だ。創業まもないベンチャー企業に出資する投資家が「エンジェル投資家」と呼ばれることから、この名前がついている。

ベンチャー企業への投資は、将来性などの見極めが難しいためリスクが大きく、個人では投資しにくいと言われている。しかしこのエンジェル税制で税制優遇を行うことで、個人でもベンチャー企業に投資しやすい環境づくりができる。ベンチャー企業への資金を増やすことで、創業やその後の成長を後押しする狙いだ。

では、具体的にどのようなしくみになっているのだろうか。

エンジェル税制では、個人投資家が、対象のベンチャー企業に対象となる投資をすると、株式の取得時と売却時にそれぞれ税制上の優遇措置を受けることができる[21]。また、株式を売却して損が出た場合にも、損をした分の金額をその年の他の株式を譲渡した利益と相殺することができる。

ベンチャー企業は、本社のある都道府県に確認をし、条件を満たしていれば、エンジェル税制の対象として認められる[22]。制度上、対象と認められたベンチャー企業は「特定新規中小企業者」と表記される。

個人投資家が直接投資する他に、認定された事業者（ファンドや株式投資型クラウドファンディング業者など）を経由する投資もOKだ。

エンジェル税制は、スタートアップ振興のためにはまだまだ

1997年に創設されたエンジェル税制はこれまで、身近な町工場からIPOを志すスタートアップまで、さまざまな企業に利用されてきた。制度を利用したベンチャー企業の数や投資は年々増加し、2021年度には企業数322社、投資額は126億円、制度を利用する個人投資家の数は約12,000人に達した[23]。設立初年度は企業数4社、投資額7,900万円、制度を利用する個人投資家の数は38人だったため、当初より利用が広まっていることがわかる。

しかし、それでもなお、日本のベンチャー投資の規模感は欧米やアジアの先進国と比較すると小さい。各国のGDPに対するベンチャー企業への投資額の割合は、アメリカ0.64%、イギリス0.47%、中国0.23%、韓国0.22%、最も高いシンガポールでは2.61%にまで及ぶ。一方、日本では0.08%程度に留まっている[24]。まだまだ日本のベンチャー企業への投資を増やしていく必要がある。

こうした課題から、2019年度には税制改正が行われ、エンジェル税制の要件等が緩和された。優遇措置Aの対象企業が「設立3年以内」から「設立5年以内」に延長されたことや、対象となる投資の種類に株式投資型クラウドファンディングが追加されたことなども、この緩和によるものだ。制度改正以降はエンジェル税制の利用状況が公表されていないため、現状を捉えることは難しい。

ただ、先述の通り、日本のベンチャー投資は海外に比べてまだ少ないため、エンジェル税制が引き続き重要な役割を担うと考えられる。

　また、投資を受ける企業がさまざまな書類を用意する手間が多いなどの実務上の懸念もあったが、2023年度には改正され、用意する書類が減ることになった。今後そうした実務上の手間がさらに払拭されていくことで、より利用は広がるだろう。

21 株式の取得時には2種類の優遇措置があり、投資した額が総所得から控除されるか、投資した額が株式譲渡益から控除されるか、どちらか選ぶことができる。前者を優遇措置Aといい、後者を優遇措置Bという

22 対象となるベンチャー企業を決めるときには、設立からの経過年数に応じて定められている複数の要件や、未上場であることなどの条件がある

23 中小企業庁.「エンジェル税制に関する利用実績」. 令和4年, 2022.
https://www.chusho.meti.go.jp/keiei/chiiki/angel/record/record.pdf

24 内閣府.「スタートアップ・エコシステムの現状と課題」. 令和4年, 2022.
https://www8.cao.go.jp/cstp/tyousakai/innovation_ecosystem/2kai/siryo2_print.pdf

column

1年単位で政策のスケジュールは進む

ここまで政策を紹介してきたが、このコラムでは、実際にどのようにつくられていくかを紹介したい。

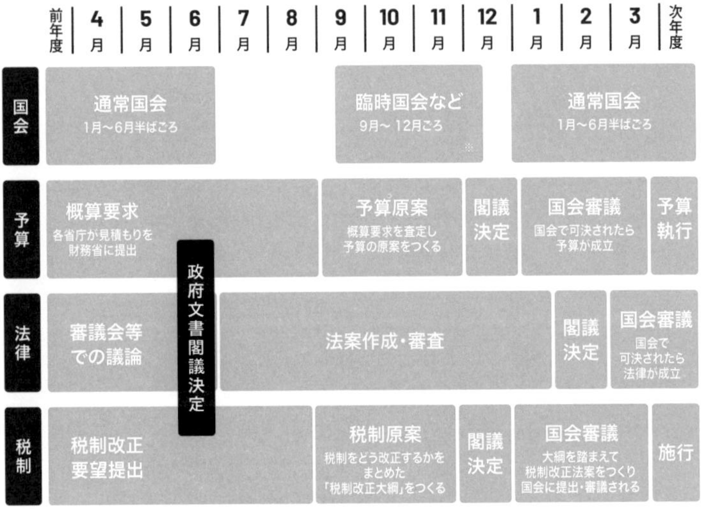

[図]政策の年間スケジュール概略

※近年は、秋頃に臨時国会が開かれることが多いが、衆議院解散の関係で、臨時国会の会期が短くなったり、特別国会が開催されることもある

政策は基本的に1年を単位にして検討していく。もちろん、本書でも取り扱っている社会保障や教育、産業振興といった大きな政策課題については、もう少し中長期的に考えられることもある。しかし、ここでは実務的には大まかにどの時期にどういったプロセスで進むのか、といった進め方のスケジュールを示す。

政治家や省庁職員、その他政府に通じている民間のプレイヤーといった、政策に携わる人たちの間ではここで紹介をするスケジュール観が共有されていることが多い。そのスケジュールに基づいて政策の中身が検討・企画される。また、そこから外れるような事態が起きた場合は、その政策の企画が見直され、修正されることもある。

政策の中でも特に伝統的な手法が、法律・予算・税制の3つだと言われているが、これらに限らず、国家間同士の連携・取決めを行う条約や法的拘束力を持たない性質を持つガイドラインといったツールもあるため、ツールごとにスケジュールは一概に言えないこともある。

春に政策に向けた議題が出揃う

年間スケジュールの図にある政府文書とは、政府が短期～中期的、つまり今年度から向こう5年くらいのスケジュールで、どういった議題に優先的に取り組むのかが記載されている文書のことだ。企業で言うところの中期計画に当たる。この文書に書かれた政策に、政府が持つリソースを傾けていくことになる。

多くの政府関連文書は春ごろに集中して取りまとめが行われている。たとえば、「骨太の方針」という言葉をニュースや新聞などで見たことはないだろうか。これは、国の経済・財政の重要課題や政策の基本方針を定めた文書で、予算の方向性を示すものでもある。政策を検討している人たちは、こうした政府文書に自分たちの政策に関する文章が入るかを重要視している。政府文書に自分たちの政策が入れられると、その政策が実行される可能性が高まるからだ。

省庁が政策を検討する場として、審議会がある。各府省庁で検討するテーマごとにさまざまな審議会が設けられている。審議会に参加するメンバーはその政策によって影響を受ける人や、ある目的に対してどんな政策を行うべきかを考える専門家など、省庁の外にいる人たちだ。

夏〜秋にかけて、政府内での協議が進む

夏から秋にかけては省庁間でのやりとりが本格化する。

たとえば、予算を決めていくときには、各省庁で政策に合わせた見積もりを財務省に提出する。これを「概算要求」といい、各省庁が財務省との折衝を進めていくことになる。

この予算の決め方は、企業の、部門ごとに予算を作成して、それを経営企画部門などに提出し、とりまとめるやり方と似ている。国の場合になると、各省庁でつくった予算を財務省に提出してとりまとめを行うということだ。そして多くの重要な政策は「閣議決定」として政府全体の正式な意思決定がなされる。その後、国会の中で広く議論をしていくことになる。

国会における議論と意思決定

法律や国の予算を審議する機関である「国会」は「通常国会」と「臨時国会」など複数の種類がある。

通常国会は、毎年１回、年明け１月から６月ごろまで開催される。

臨時国会は必要に応じて開かれる国会で、決まった頻度があるわけではなく、また通常国会よりも日程が短いことがある。必要性というのは、たとえば大きな災害が起きて復興のために予算が必要な場合というように、国内外の情勢で緊急性があるような場合である。最終的に国会で法案や予算が議決されると正式に政策として確立することになる。

その政策が正しかったかの評価の方法とは

政策は企画して議決されたら後は放置されるわけではなく、その

政策がどういう効果があったのかを評価される。代表的なものが「行政事業レビューシート」だ。

行政事業レビューシートは、政策に関して、主に前年度の取り組みがどうであったかを評価したり、新たに始める施策についてどういった指標で施策の効果を測っていくのかを示したものである。政府内で作成する場合もあれば、有識者と呼ばれる外部の人の目線も入れた議論がなされることもある。

政策をレビューすることは、時代に沿った政策になっているかどうかを見直しするという観点でとても重要なことだ。近年だと、EBPM[25]やナッジ[26]、デザインアプローチ[27]といった手法も活用しながら、政策評価のためにはどういった項目の設定が適切かの検討が進んでおり、今後もより改善が期待されている。

ちなみに、上記の説明では単年度のプロセスで政策立案を説明したが、そもそも政策が単年度を前提として立案されていることそのものについての見直しの必要性も議論されている。

たとえば、2022年度に出された閣議決定文書である「新しい資本主義のグランドデザイン及び実行計画」には、「単年度主義の予算だけでは、国の長期的方向性が見えにくく、また予見可能性も少なく、国が将来の期待成長率を導き出すことも困難である。事業の性質に応じて基金等を活用して、予算単年度主義の弊害を是正する」といった記載がある。今後の議論の進み方によっては政策のスケジュールはこれまでとは違う形式に変わることもあるかもしれない。

25 EBPMとは、政策をその場限りのエピソードに頼って立案していくのではなく、政策目的を明確化したうえで合理的根拠(エビデンス)に基づいて立案していくこと

26 行動科学を活用して人々が望ましい行動をとれるように後押しするアプローチのこと

27 「人間中心起点」「未来志向」「実験的」「共創」など、サービスやプロダクトを設計(デザイン)する際にそれぞれの質を高めるような思考法の総称

事業活動を支える

- ☑ 特許制度
- ☑ ローカルベンチマーク
- ☑ 税制適格ストックオプション
- ☑ 国家戦略特区制度

政策名

特許制度

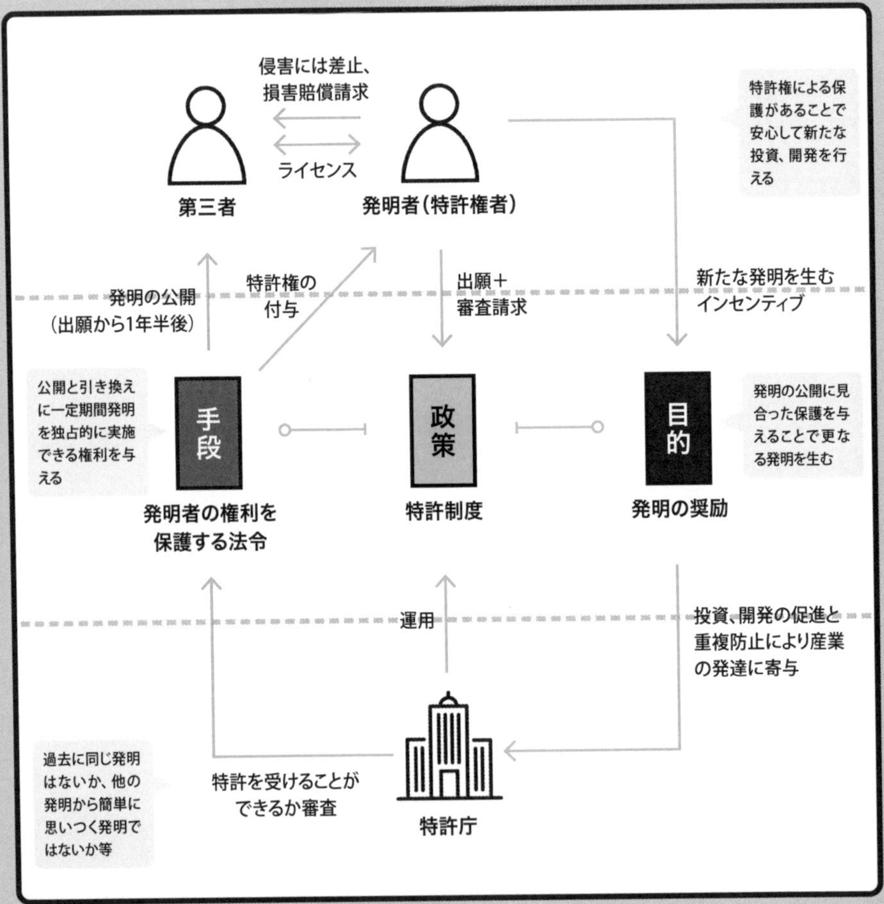

発明を保護し、
さらなる投資・開発を促す

発明を公開してもらうために強い権利を与える

「特許」は、多くの人が一度は耳にしたことがある言葉だろう。

しかし、「特許制度とは何か?」と聞かれて、具体的に説明することは案外難しいのではないだろうか。

特許制度とは、一言でいえば「発明」を保護する制度だ。発明者に対して、国が特許権という独占的な権利を認めることにより、発明を保護・奨励し、かつ、出願された発明の技術内容を公開して利用を図ることで、産業の発達に寄与することを目的としている。

発明は目に見えない思想・アイデアなので、家や車のようにモノという形で誰かがそれを占有し、支配することはできない。

もし、制度による保護がなければ、発明者は、自分の発明を他人に盗まれないよう、秘密にしておくだろう。しかしそれでは、発明者自身も発明を有効利用できず、また、他の人が同じものを発明しようとして無駄な研究・投資が生まれることになる。

そこで、発明者には一定期間、一定の条件のもとに特許権という独占的な権利を与えて発明の保護を図ることにした政策が特許制度だ。発明者に独占的な権利が認められると、第三者による模倣を防ぐことができ、安心して新たな発明への投資・開発を行うことができる。また、発明者に強力な権利を認める代わりに、発明の技術内容を公開させることで、第三者が発明を利用でき、技術の進歩を促すことにもつながる。

発明者が特許を受けるためには、特許庁[28]への出願が必要となる。同じ知的財産権である著作権は、著作物をつくった時点で権利が発生するが、特許は出願が必要になる点が異なる。

特許は基本的に差し戻しされるものなので、「諦めないでほしい」というメッセージを特許庁が出している

特許庁への出願は書面の提出により行うが、できる限り早く提出する必要がある。なぜなら、他人よりも先に発明を完成していても、もし他人に先に出願されてしまうと、特許を受けることができないからだ。言い換えれば、同じ発明が、別々の者により生み出された場合には、書面提出が早い者のみに特許を与えるルールがあるためだ。

ただし、出願をするだけでは、特許を受けることはできない。出願から３年以内に審査請求という手続きも行い、特許を受けることができるかどうか、審査官による審査を受ける必要がある。

しかも、大半の出願では、何かしらの特許を受けることができない理由が記載された書類（拒絶理由通知書[29]）が送付されることが多い。その内容を参考にして出願書類の修正を行い、修正後の内容を審査官が再度審査するという双方向の手続きが行われるのが普通だ。

なお、この審査請求から権利化までの時間は平均14.3ヶ月＝１年２ヶ月ほどで、そのうち平均9.5ヶ月は最初の審査書類が送付されるまでの順番待ちの時間である[30]。この順番待ちの時間を短縮したい場合には、一定の条件を満たした上で、早期審査・スーパー早期審査という制度もある。ちなみに、早期審査では平均2.7ヶ月、スーパー早期審査では平均0.9ヶ月の待ち時間となっている[31]。

特許が話題になるのは、たいてい特許権を侵害した訴訟がおこったときだ。そのため、特許は自社技術を守るために使うものと思われがちである。しかし、特許制度は、本来、公開された技術情報を第三者が参照することでさらなるイノベーションを起こし、産業を発展させることを目的としている。また、公開された特許情報を見れば、その会社がどのような技術を保有しているかがわかる。

先述したとおり、大半の申請では拒絶理由通知書が送られ、そこからやりとりがあるが、拒絶理由という名前に「もう特許を受けることができないのか」と出願した人が勘違いしてしまうことも多い。政府は「諦めないでほしい」というメッセージを込めて下記「お助けサイト」を設け、拒絶理由通知書の「注意書」にQRコードを付けて本サイトへのアクセスを容易にしている。

また、特許情報はシナジーが生まれるような協業先を探すことができるツールともなり得るため、将来の事業協業先を探したり、自社の枠を超えたイノベーション創出を生み出すことにもつながる可能性を秘めている。このことがより広く認知・理解され、スタートアップ企業や中小企業が持つイノベーティブな技術を大企業が支援し、共同で社会実装に向かう「オープンイノベーション」のきっかけのひとつとして、特許制度のさらなる活用が期待されている。

28 特許制度を所管するのは特許庁。特許庁は、特許制度以外にも実用新案・意匠・商標を所管

29 拒絶理由という名前に「もう特許を受けることができないのか」と勘違いしてしまう出願人も多く、「諦めないでほしい」というメッセージを込めて「お助けサイト」を設け、拒絶理由通知書の「注意書」にQRコード(株式会社デンソーウェーブの登録商標)を付して本サイトへのアクセスを容易にしている

30 このような順番待ちが発生する背景として、審査請求への新たな着手(年間約22万件)に加え、国際特許出願への国際調査報告作成(年間5万件)を、1,700名弱の審査官により行うというリソースの制約という点が挙げられる

31 いずれも期間は2020年時点。特許庁ステータスレポート2021より

ローカルベンチマーク

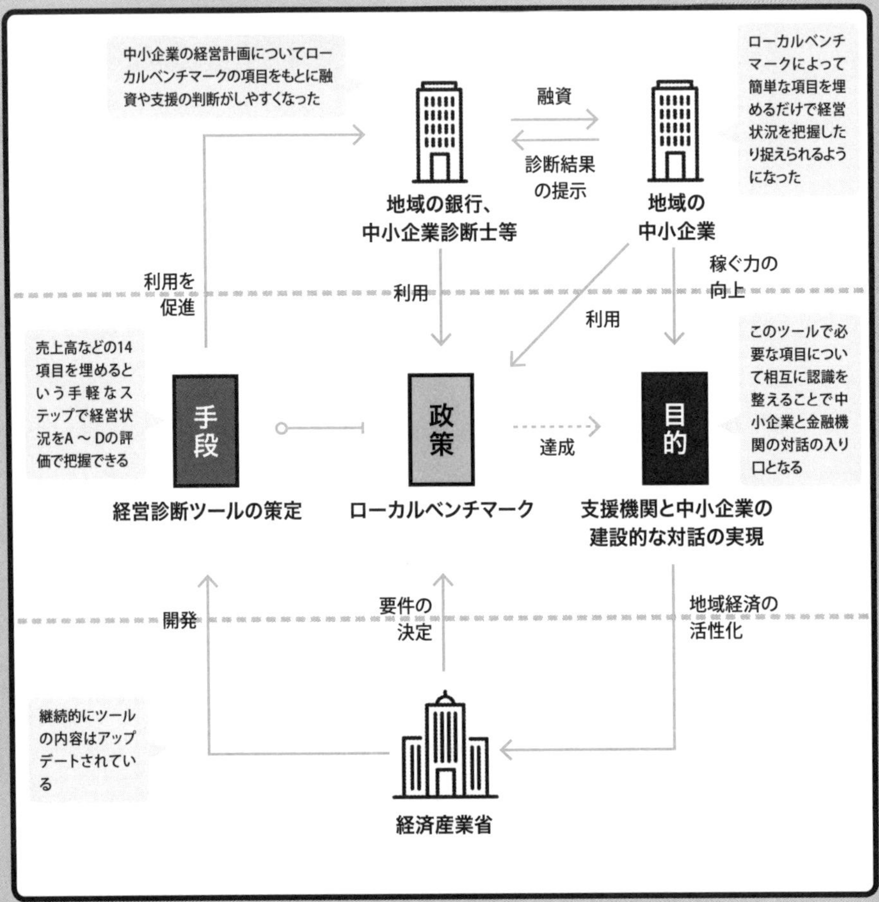

中小企業の経営状態を
関係者が共有することで、
融資の対話がしやすくなる

「その企業がどういう経営状態なのか」が わかるシート

企業の経営状態をかんたんに可視化するツールのひとつに、経済産業省が2016年に公開した「ローカルベンチマーク」(通称「ロカベン」と呼ばれる)がある[32]。ロカベンは、「知的資産経営」を実践する入口としてつくられたものだ。知的資産とは、その企業の人材、技術、組織力、顧客とのネットワーク、ブランド等のことで、これらは目に見えないが企業の競争力の源泉となる[33]。

ロカベンは「財務」「非財務」の両面から企業の経営状態を診断する3枚のシートで、「6つの指標(財務面)」「商流・業務フロー」「4つの視点(非財務面)」から構成されている。ロカベンはエクセル形式になっており、入力手順に従って財務・非財務の情報を入力すると、自動的にその企業の経営状態がどうなのかの分析結果が表示されるようになっている。

ロカベンは2015年5月から検討会が開催され、1年近くの歳月を経て2016年3月にツールが公開された。

金融機関はこれまで「事業の評価」で 融資はしてこなかった

では、ロカベンは一体だれが何のために使うのだろうか。

これは、金融機関や支援機関が、地域企業の経営課題を把握・分析し、これをもとに対話するための手段として使われている。その背景のひとつに、金融庁の方針がある。現在、金融庁は金融機関に対し、「事業性評価」により融資を行うことを求めている。この事業性評価とは、その企業が手がける事業がどれだけ有望なのか、成長するのか、も含めて評価するというものだ。

これまで金融機関は、成長力はあるものの、決算書の内容があまりよくない企業への融資はしにくかった。金融機関は長い間、決算書の内容や担保・保証の有無によってお金を貸せるかどうか判断していたため、いざ事業性評価をしようとなっても、実際に行うのは難しいことだった。そのため、事業性評価のために企業との意思疎通をしやすくし、対話を補助するためのツールとして、ロカベンが生み出された[34]。

ロカベンを活用することで、企業側からすると資金調達を目的とした融資を受けやすくなり、金融機関としては融資をするための審査がスムーズにできる。コミュニケーションコストが下がるだけではなく、融資をする件数の増加、融資額の増額などにつながったケースもある。経済産業省は「このツールにより企業と支援者、支援者同士が、同じ目線・枠組みで対話を行う『共通言語』として機能を目指している」と掲げている[35]。

これまでにも経営の診断をしたり、対話を促したりするツールはそれぞれ存在していたが、ロカベンは、同一のツールを両者で見ながら対話ができる、つまり「診断」と「対話」の両方できるという点が優れている。ロカベンを通じて、地域の中小企業の稼ぐ力を向上させ、地域経済の活性化をさせることが期待されている。

32 経済産業省.「ローカルベンチマーク」.
https://www.meti.go.jp/policy/economy/keiei_innovation/sangyokinyu/locaben/

33 経済産業省.「知的資産・知的資産経営とは」.
https://www.meti.go.jp/policy/intellectual_assets/teigi.html
知的資産は、特許やノウハウなどの「知的財産」だけではなく、組織や人材、ネットワークなどの企業の強みとなる資産を総称する幅広い考え方であることに注意が必要だとされている

34 大阪府中小企業診断協会.「ローカルベンチマークツールが誕生―いますぐ使える 企業の健康診断&対話促進ツール」.
https://www.j-smeca.jp/attach/article/article_2016_12_07-10.pdf

35 経済産業省 経済産業政策局 産業資金課.「ローカルベンチマークの概要と今年度の取組」. 令和3年, 2021.
https://www.kantei.go.jp/jp/singi/titeki2/tyousakai/kousou/kachi_design_wg/dai2/siryou5.pdf

政策名

税制適格ストックオプション

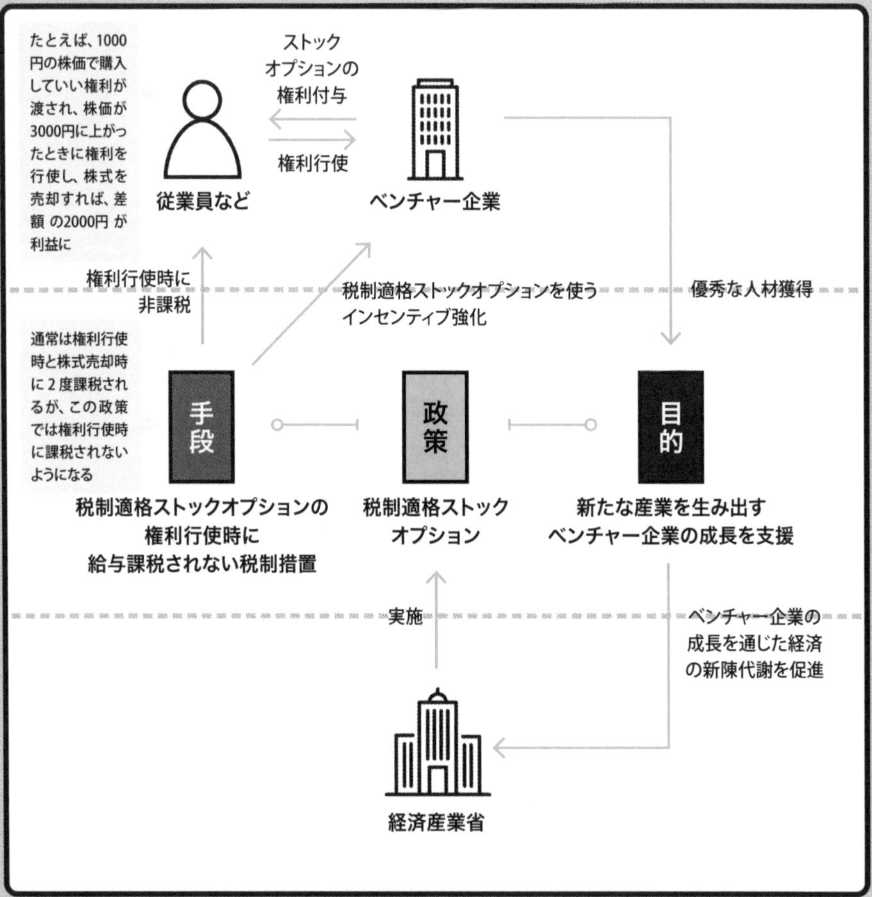

ストックオプションへの課税が通常2回のところが1回になる

ストックオプションは、社員にとって リターンが大きくなる可能性のある報酬

「ストックオプション」とは、会社が社員などに対して株式を報酬として渡すというものだ。株式会社でなければこのしくみは使えない。所属する会社が成長し、株式の価格が上がれば、大きなリターンを得ることができる。政府は、新たな産業を生み出すベンチャー企業の成長を支援するために、税制適格ストックオプションを推し進めている。この制度を使うことで、支払う税金が安くなるので、お得な制度なのだ。

まず、株式を報酬として渡すというのはどういうことなのか。しくみとしては、自分が所属する会社の株式を、いくらで、いくつ買えるかをあらかじめ決めて、その分だけ買う権利をもらえるということだ。

もしその会社が上場すれば、通常はその株式の価格があらかじめ決めた価格よりも高くなり、その差額が儲けになる。つまり、その会社に早くから関わっている社員ほど、安く買える可能性が高く、将来上場するまで会社の成長に貢献することができれば、その分だけ大きなリターンがもらえる夢のある報酬のしくみだ。

しかし、これまでは、買う権利が渡されてから実際に株式を買うと、その時点で税金がかかってしまうということが問題視されていた。なぜこれが問題かというと、株式は売ってはじめて現金が手元にくるため、株式を買っただけでまだ現金が手元にきてないにもかかわらず、税金だけ支払わなくてはならない状況だったからだ。

これを、しっかり税に関する法律にのっとっていれば「税制適格」のストックオプションとして、権利を使ったときに課税がされないしくみになった[36]。これによって、ストックオプションの権利を持った人が、株式を買うということがしやすくなったのである。これにより、民間企業（特にスタートアップ）で取りうる報酬の幅が広がることになり、優秀な人材を採用するためにも使われることも増えている。

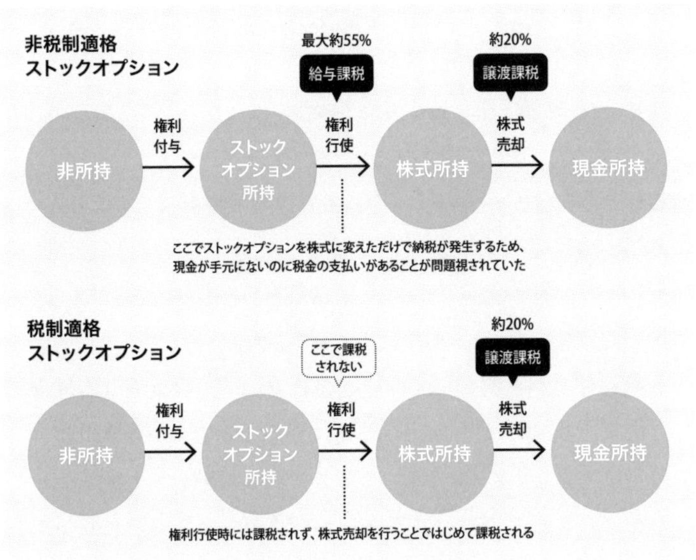

[図] ストックオプションの非税制適格と税制適格の違い

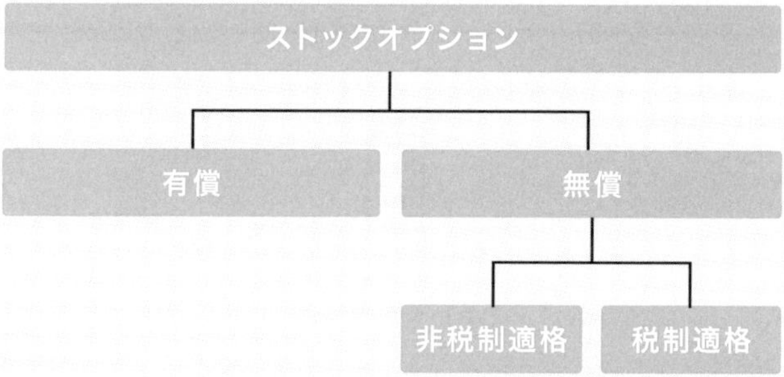

ストックオプションには有償・無償があり、
さらに無償には2種類あり、税制適格と非税制適格がある

［図］ストックオプションの種類

36　ここでの課税は「給与課税」のこと

政策名

国家戦略特区制度

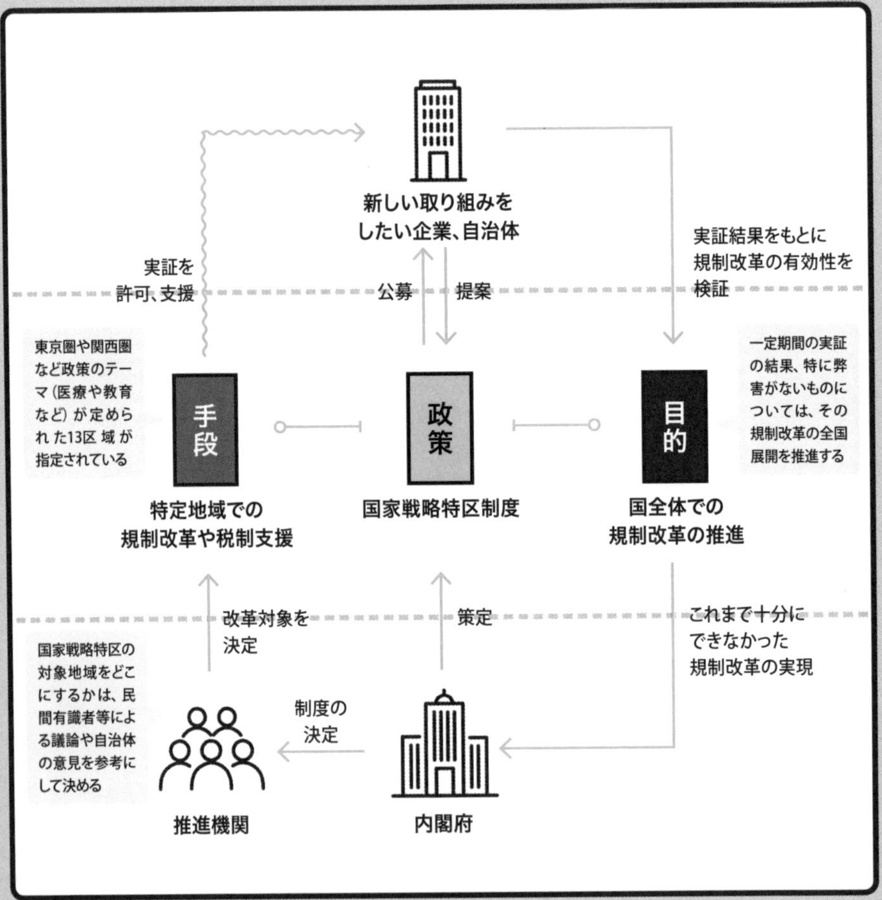

新しいビジネスのため、今ある「規制」をそのエリアだけなくす制度

新しいビジネスを阻む壁をなくすための制度

国家戦略特区制度とは、言わば「世界で一番ビジネスがしやすい環境」を創出しようとする制度である[37]。何か新しいビジネスをしようと思っても、日本ではさまざまな機関に許可を得る必要があり、何年たっても進まないことがある。だから、この政策は、ビジネスがしやすい環境づくりのために国が区域を定めて規制を緩めるという特例措置をする。さらに、特例措置の活用から一定期間様子を見て、特段の弊害のない成果については、各省庁と連携して積極的に全国展開を進めていく。

特区として定められる区域としては、「関西圏」のように複数の都道府県を含む広く対象をとるものや、沖縄県など特定の都道府県を対象にしたり、仙北市など市町村を対象とするものもあり、規模はさまざまである。なお、現在、13区域が指定されており、400を超える認定事業が行われている。

国家戦略特区以前にも特区は存在していたが、従来の特区とは以下の点で異なっている。これまでは自治体・団体から計画を国に提案する「ボトムアップ型」の規制改革の取り組みであったが、国家戦略特区は、対象区域の選定に国が主体的に関わり、スピード感を持って、岩盤規制といわれる長年にわたり進展しない課題を突破するしくみである点が特徴のひとつである[38]。

また、各区域ごとに置かれる国家戦略特別区域会議に、国・地方自治体・民間事業者が対等な立場で参画でき、密接な連携のもとに区域計画を作成するという特徴もある。国家戦略特区は、地方公共団体に留まらず、事業の実施主体となる民間事業者等からの提案も可能で、単独での提案だけではなく、複数の主体による共同での提案も可能である。

それでは、具体的にどんな規制緩和の取り組みが行われているか、例として「近未来技術実証特区」という国家戦略特区を代表する取り組みを紹介する。自動運転（レベル4）[39]の例を見てみよう。

自動運転の実現化に向けて実験は必須であるが、従来の道路交通法は人が運転することを前提としてつくられている。そのため、自動運転システムで自動車を走らせる際のルールはもちろんだが定められていなかった[40]。そのため「近未来技術実証特区」として、2015年6月、完全自動走行（レベル4）の実現に向け、安全に関するデータ収集等に必要な公道実証実験を積極的かつ安全に行うために、環境整備等を盛り込んだ『日本再興戦略　改訂2015』が閣議決定され実証実験が開始された。こうして新たな商品・サービスを生み出すため、自動車の自動走行や小型無人機（ドローン）による配送など近未来のデジタル社会の実現に向けた実証実験が活発になっている。

37 地方創生.「制度概要」.
https://www.chisou.go.jp/tiiki/kokusentoc/kokkasenryakutoc.html

38 首相官邸.「国家戦略特区」.
https://www.kantei.go.jp/jp/headline/kokkasenryaku_tokku2013.html

39 自動運転は以下のように、その実現された技術に応じてレベル分けがなされている。
・レベル1(運転支援)：システムが前後、左右のいずれかの車両制御を実施
・レベル2(特定条件下での自動運転機能)：レベル1の組み合わせ、高機能化
・レベル3(条件付自動運転)：システムが全ての運転タスクを実施するが、システムの介入要求等に対してドライバーが適切に対応することが必要
・レベル4(特定条件下における完全自動運転)：特定条件下においてシステムが全ての運転タスクを実施
・レベル5：(完全自動運転)：常にシステムが全ての運転タスクを実施
国土交通省.「自動運転のレベル分けについて」.
https://www.mlit.go.jp/common/001226541.pdf

40 政府広報オンライン.「ついに日本で走り出す！自動運転“レベル3”の車が走行可能に」. 2021.
https://www.gov-online.go.jp/useful/article/202004/1.html

column

政策ツールという手段

法律、予算、税制の3つを代表的な政策ツールという

政策を実行するために必要なものは何だろうか。手段として、3つの伝統的なものがある。法律、予算、税制の3つだ。これらは「政策ツール」と呼ばれる。

これら3つは、そもそも国に求められる役割にひもづいているとも言えよう。つまり、法律によって社会の秩序を保ち、国民から税金を集め、集めたお金をどこに再分配していくか予算として決めていく。この活動は国が行う。

ちなみに、政策ツールには法律、予算、税制以外にもさまざまある。たとえば、法律のような強制力はないが「ガイドライン」を示すといったこともあれば、表彰・認定を行い特定の活動を促進させようとすることもある。

「その政策は何を目的にしているのか」にあわせて、これらの政策ツールを組み合わせていく。ただし、はじめから政策ツールありきで考えてしまうと、手段が目的化してしまうので、あくまで目的を達成するために選択しうる手段である。

ここまでの説明だと、少し抽象的かもしれないので、次からは法律、予算、税制の政策ツールについてそれぞれ説明していく。

法律は人々の行動を抑制したり促進する

法律とは、国会で決められる社会的なルールのことである[41]。政策の一環として、「法律」を新しく決めることにより、規制をかけたり、促進

したりする。

たとえば、「容器包装リサイクル法」という法律がある。これは、ペットボトルやプラスチック製の買い物袋など、容器包装のリサイクルなどを促進し、廃棄物の減量化や資源の有効利用、環境の保護を行うためにつくられた法律だ。

この法律に基づいて、ゴミを減らすために、プラスチック製の買い物袋を有料化する等の行動が求められるようになった。このように、法律を用いれば、人々の行動を変えて、特定の目的を達成させようとすることができる。

つまり、法律の内容を改正したり新しくつくったりすることで、個人や企業の行動を規定・変化させることになる。法律というと、個人や企業の対立を調停・解決するような裁判のイメージがあるかもしれないが、法律は、政策の目標を達成するときにも大きな役割を果たすのだ。

予算で、お金をどこにどう分配するかを決める

次に、「予算」を決めるのだが、これにより、公共サービスを提供したり、企業の事業を補助したり、国や行政として行うべきことを企業に委託したりすることができるようになる。つまり具体的に動き出すことができるのだ。

予算とは、主に国が使うお金、つまり支出の使い道を決めることである。ちなみに、国や自治体の支出のことを「歳出」といい、反対に収入のことは「歳入」という。

日本では、毎年100兆円以上の規模の予算が決められている[42]。社会保障、地方交付税交付金、公共事業、防衛関係などさまざまなお金の使い道がある。

なお、予算は大きく分けて２種類ある。各年度ごとに決める「当初予算」と年度中に必要に応じて決める「補正予算」だ。

補正予算は、当初予算で想定していたよりも支出が必要になった事業があったり、災害や大規模な経済不況など緊急で支出が必要になったりしたときなどに組まれる。

税金は徴収されるだけでなく、行動変容まで促すもの

３つ目の政策ツールである「税制」とは、その名の通り税金についてのルールのことである。税金をどのように徴収するか、特定の税金の負担を少なくするかなど、税制はさまざまな影響力を持っている。

私たちが払っている税金は、公共サービスを運営するための費用として集められている。2023年度の収入（歳入）約114兆円のうち、約６割の約69兆円が税金[43]である。

税金は、有無を言わず徴収されるものという印象があるかもしれないが、逆に税金を減らすことで行動変容を促そうとする政策もある。

たとえば、「研究開発税制」という政策がある。これは、研究開発に投資する企業に対して、企業の研究開発への投資額の一部に相当する額を法人税から控除するという政策である。

この税制があることによって、積極的に研究開発に費用を投じる企業にとっては税金の負担が少なくなるメリットがある。こうして国は、企業の研究開発への投資を促しているのだ[44]。

このように、税制とは、一定の条件を満たした場合に適用されるルールであり、個人や企業などに対して社会や将来のためになる行動を促す手法となっている。

以上が、政策の代表的な3つの手法についての説明だ。

41 ここでは「法律」と表記しているが、厳密には、各法律の下には、内閣が決めることのできる政令や各大臣が決めることのできる省令といったもの等があり、これらを総じて「法令」と呼ぶことが多い。しかし、本書では平易な表現として「法律」と記述している。

42 当初予算だけでなく補正予算も含めるとより大きな金額になる

43 財務省「令和5年度予算のポイント」.令和5年,2023.
https://www.mof.go.jp/policy/budget/budger_workflow/budget/fy2023/seifuan2023/01.pdf

44 研究開発税制については140ページで紹介している

労働環境を支える

- ☑ 無期転換ルール
- ☑ 同一労働同一賃金
- ☑ 男女雇用機会均等法
- ☑ 労働組合法

政策名

無期転換ルール

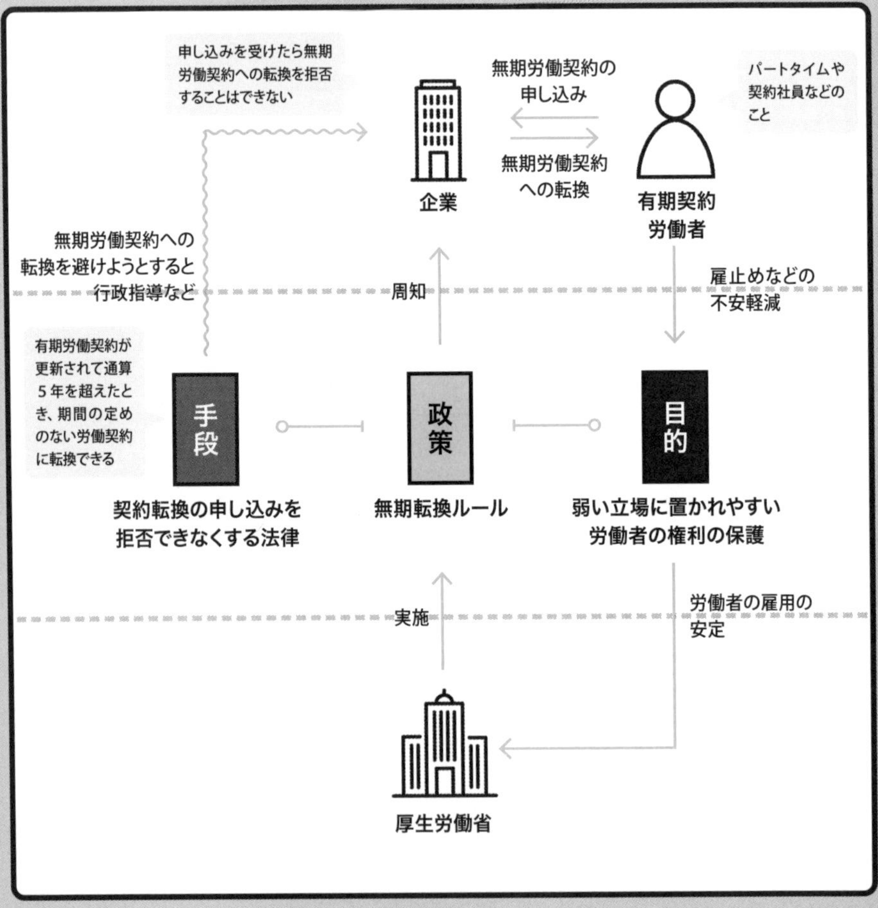

契約社員などを、
無期限の雇用に転換できるルール

期間が決まっている採用だとしても、５年以上働けばずっと働ける権利

無期転換ルールの説明の前に、まず「無期」という言葉が何を指しているか見てみよう。私たちが企業に雇われて働く際の契約は、「有期労働契約」と「無期労働契約」に分かれている。

有期労働契約は、１年や６ヶ月単位など、期間が決まっている雇用契約のことを指す。一般に「契約社員」「パートタイマー」「アルバイト」などと呼ばれ、全国で約1,400万人いる[45]。それとは逆に正社員などは、期間が決められていない無期契約の労働者と分類される。

無期転換ルールとは、有期契約で働く労働者の雇用期間が通算５年を超えた場合、労働者からの申し込みがあれば、雇用契約を「有期」から「無期」に変えられるルールである。

このルールは、労働契約法という法律によって定められているため、無期契約の労働者が有期への変更を希望すると、雇い主である企業は拒否できないことになっている。また、これを避けるために権利の発生前に企業が雇用を終わらせることがあれば、一定の条件下で無効にするルールもある。

弱い立場に置かれやすい労働者の権利を守り、雇用の安定化を目指す

ではなぜ国は、有期から無期への転換を後押ししているのだろうか。その背景として、有期で働く労働者は雇用期間が決められているため、契約が更新されずに雇用関係が終了すること（雇止め）

への不安がある。また、雇用されなくなるのではという不安から、処遇を改善してほしいという要望も出しにくい。

一方で、厚生労働省の調査では、約半数の企業で有期の労働者が正社員と同等レベルの仕事を担っている実態も明らかになっている[46]。つまり有期の労働者が働き手として定着している会社も多い。

こうした状況の中、この無期転換ルールでは、弱い立場に置かれやすい労働者の権利を守り、雇用の安定化を目指そうとしている。有期の労働者がこの制度を利用したいと企業に申し込めばこのルールが採用され、無期転換となる。

無期転換ルールは、日本のすべての企業が対象である。そのため企業では、自分の会社の有期の労働者の就労実態を把握し、仕事の再整理や就業規則の作成をし、無期雇用するための体制と運用をつくる必要がある。たとえば、有期から無期に転換した後にどのような社員区分とするか、納得される処遇や評価制度はどのようなものか、などを社内で検討する必要がある。

実施状況はどうだろうか？

無期転換ルールは、2013年４月に施行された改正労働契約法から導入されたため、その５年後の2018年の有期契約労働者から無期転換の申込権が発生し始めている。

しかし、直近の調査では、有期契約労働者のうち無期転換ルールの内容を知っている人の割合は４割弱と低いままであった。さらに、有期契約労働者かつ無期転換の権利がある人のうち、無期転換の申込権を実際に行使した労働者は全体の３割に満たないという結果が明らかになった。[47]

また、有期契約労働者を雇用している企業のうち、無期転換ルールの内容を知らない企業も約15%もあった。

こうした現状を踏まえ、厚生労働省では無期転換ルールの周知をさらに強化していくとともに、転換後の労働条件改善を行うなど、より踏み込んだ形での見直しを検討している。[48]

労働人口が減少している日本で、労働力の確保は大きな課題である。多くの人がそれぞれに合った働き方を選択し、活躍できる社会をつくるためにも、このルールを活用することが求められる。

45 厚生労働省.「無期転換ルールに関する参考資料(本日の論点関連)」. 令和4年, 2022.
https://www.mhlw.go.jp/content/11201250/000969237.pdf

46 厚生労働省.「多様な正社員及び無期転換ルールに係るモデル就業規則と解説(全業種版)」
https://muki.mhlw.go.jp/policy/modelwork.pdf

47 厚生労働省「無期転換ルールに関する参考資料(本日の論点関連)」. 令和4年, 2022.
https://www.mhlw.go.jp/content/11201250/000959396.pdf

48 厚生労働省「2022年8月30日 第177回労働政策審議会労働条件分科会 議事録」. 令和4年, 2022.
https://www.mhlw.go.jp/stf/newpage_29345.html

政策名

同一労働同一賃金

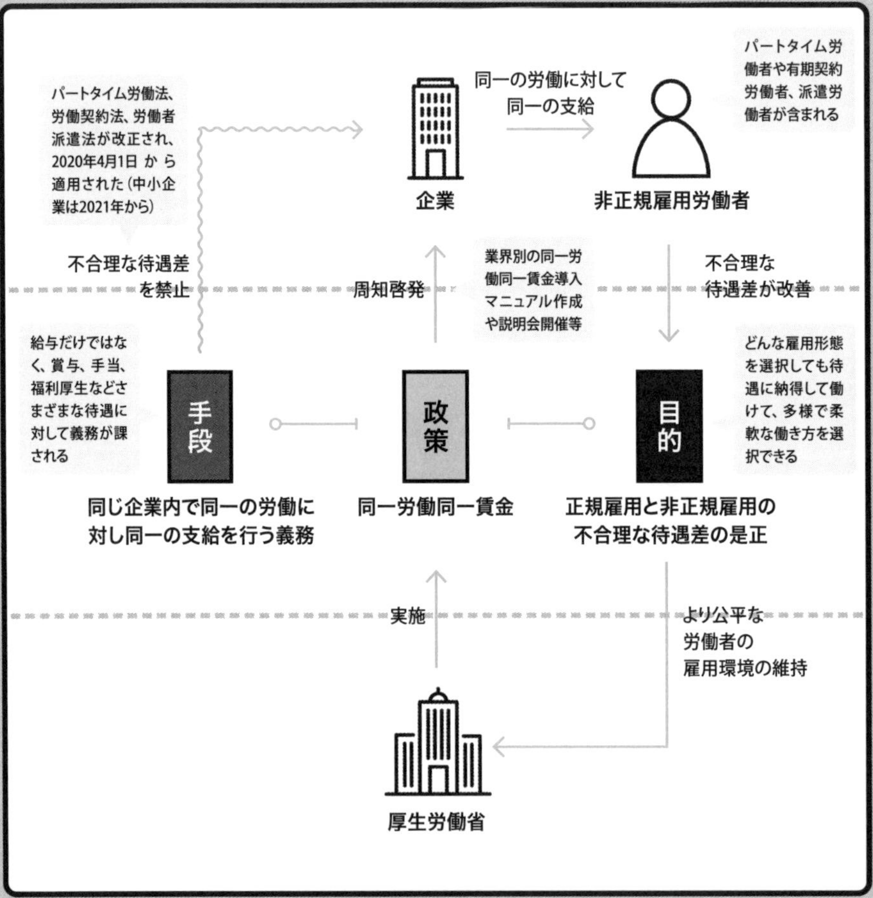

会社内での待遇の差を解消する

問題は、正規雇用と非正規雇用の格差

この政策は、同じ職場内で正規雇用の労働者と非正規雇用の労働者[49]の待遇に差別的な取扱いをなくし、「雇用形態に関係なく、公正な待遇の確保」を実現するものだ。格差の解消ができれば、多様で柔軟な働き方が推進できる。非正規労働者の意欲・能力を上げ、ひいては企業や経済・社会を発展させることが期待されている。

日本では、正規雇用と非正規雇用の格差が深刻な問題となっている。

日本の非正規雇用の占める割合は約４割[50]程度だ。

この背景には、1990年代バブル崩壊以降で日本経済が悪化し、企業が非正規労働者を増やしたこと、そして2000年代にIT技術が進歩し、テレワークやアウトソーシングなど柔軟な働き方が増加し、非正規労働者の需要が高まったこと、30代半ば以降を中心に子育て・介護等を背景とした時間や勤務地の制約により、非正規雇用を選択せざるを得ない層が多いことなどが挙げられる。

このように非正規雇用が増加すると、同じ職場で働いていても、賃金や待遇が大きく異なることがあることから、「同一労働同一賃金」の原則が求められるようになった。また、この問題は、日本だけではなく「Equal pay for equal work」としてグローバルな問題でもある。

同じ仕事をしたら、同じ賃金がもらえるように

このような問題を解消するために、労働法制（パートタイム・有期雇用労働法、労働者派遣法）を一体的に変更[51]し、同一労働同一賃金を実現することを目指している。

この政策のためにつくられた厚生労働省のガイドラインでは、基本給、昇給、ボーナス（賞与）、各種手当といった賃金だけでなく、教育訓練や福利厚生でも不合理な待遇差を解消することが求められている[52]。加えて、上記のガイドラインでは示されていない住居手当や退職金などの個別の具体的な待遇についても話し合い、合意するように求めている。

また、同一労働同一賃金にまつわる裁判での紛争解決には、訴え出る側の負担も大きくなるので、裁判外紛争解決手続という、労働局を介して問題解決を迅速にできる制度も同時に設計がなされている[53]。

この同一労働同一賃金の導入は、格差の解消に加えて、非正規労働者の意欲・能力の向上の基盤となるものだ。今後、事業者には整備された同一労働同一賃金についての法律に基づき、新しい雇用制度の構築・運用が求められる。

49 正規雇用労働者、非正規雇用労働者はいずれも法的な定義は存在しない。一般に、正規雇用労働者とは無期雇用フルタイム労働者のことを指し、非正規労働者は、有期雇用労働者、パートタイム労働者、派遣労働者を主に指す

50 総務省統計局.「労働力調査」令和4年, 2022. https://www.stat.go.jp/data/roudou/rireki/nen/ft/pdf/2022.pdf

51 パートタイム・有期雇用労働法(2021年4月1日より全面施行)、労働者派遣法(2020年4月1より施行)

52 厚生労働省「同一労働同一賃金ガイドライン(厚生労働省告示第430号)」. https://www.mhlw.go.jp/content/11650000/000469932.pdf

53 行政ADR(Alternative Dispute Resolution)とは、訴訟手続によらずに民事上の紛争の解決をしようとする紛争の当事者のため、公正な第三者が関与して、その解決を図る手続のことを指す

政策名

男女雇用機会均等法

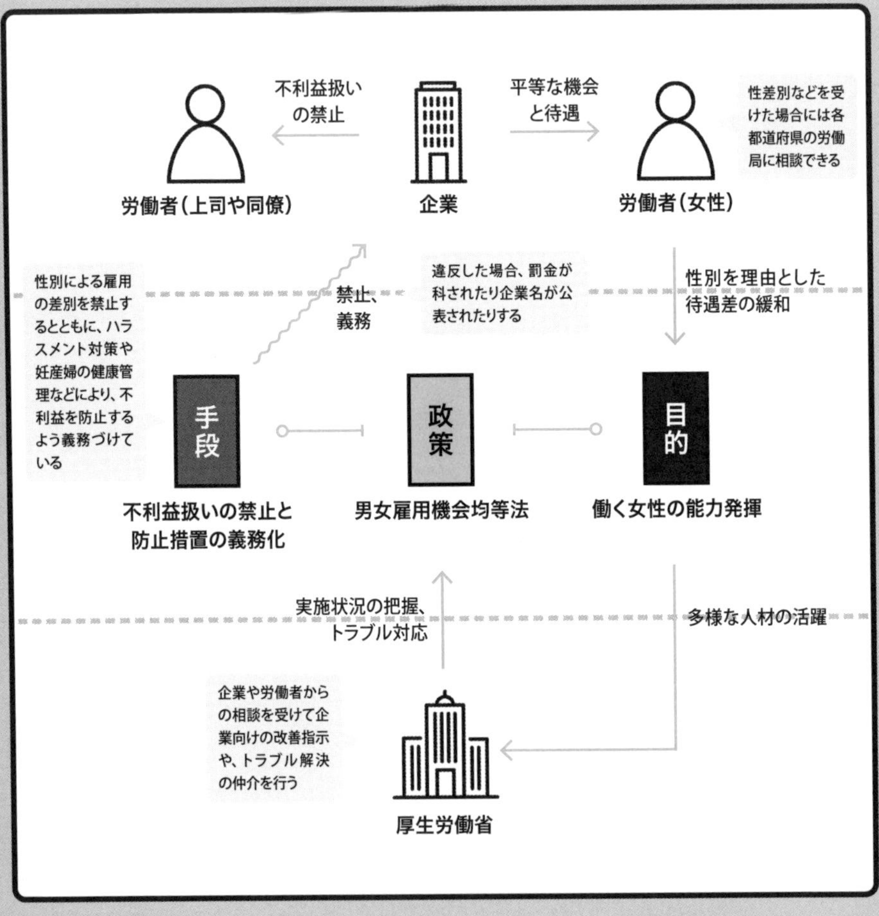

**男女が平等な雇用と待遇を
得るための法律**

男女雇用機会均等法に違反した場合は罰金刑

男女雇用機会均等法[54]は、労働者が性別に関係なく雇用で平等な機会と待遇を得られるよう定められた法律である。特に女性の労働者は、妊娠・出産など女性特有の事がらによって、男性労働者とは異なる扱いを受けやすい。

男女雇用機会均等法は日本国憲法の理念である「法の下の平等」に基づき、会社が性差別や不利益な扱いをすることを禁止している。さらに、ハラスメント対策や妊産婦の健康管理を推奨するなど、必要な内容も会社に義務づけている。

この法律の禁止事項に違反した場合、もしくは厚生労働大臣の報告の求めに応じなかった場合や、虚偽の報告を行った場合には、20万円以下の罰金がその企業に科せられる。また、厚生労働省から指導を受けても従わなかった場合、企業名が公表される。

性差別を受けた場合は労働局に相談してトラブル解決を

労働者が性差別などを受けた場合には、各都道府県の労働局に相談することやトラブル解決を援助してもらうこともできる。

具体的に何が禁止されているのだろうか。

性別を理由に人材の採用・配置・昇進・教育などで差別を禁止するのはもちろん、採用時に労働者の身長や体重を要件とすることや、転居を伴う転勤に応じることを昇進の要件とすることなど、性差別につながりうる扱いも禁止している。婚姻・妊娠・出産を理由とする解雇など、女性労働者が不利益を被る扱いも禁止している。

ほかにも、ハラスメント対策として、セクシュアルハラスメント（セクハラ）や、妊娠・出産等に関するハラスメント（マタハラ）を防止するための対策を企業に義務づけている。

母性健康管理措置、というものもある。

これは、妊娠中や出産後の女性労働者が健康診査を受けるために時間を確保することや、医師の指導を守れるように企業が対応することを義務づけるものだ。

労働局に寄せられる男女雇用機会均等法に関する相談は、年間２万件ほどにもなる。そのうち多いのが、母性健康管理に関する相談やセクハラに関する相談で、実際に違反行為があったケースでも同様の傾向だ[55]。

男女雇用機会均等法は1986年に施行され、30年以上経つが、今もまだ多くの問題が雇用の現場で起きていることが伺える。

世界に目を向けてみると、経済・政治・教育・健康の４つの分野における男女格差を測る「ジェンダー・ギャップ指数」では、2021年に、日本は120位と先進国の中で最低レベルで、アジア内で見ても韓国や中国、ASEAN 諸国よりも低い結果であった。

その中でも日本は特に、経済分野と政治分野における順位が低いことがわかる。経済の分野においては、働いている女性の割合は72％と高いが、そのうち、パートタイム職に就いている割合は男性のおよそ２倍であり、女性の平均所得は男性より40％ほど低い。

政治の分野でも、女性の割合は低く、国会議員では９％ほど、大臣も10％ほど。近年、日本の政治分野でのスコアは上がりつつあるものの、順位でみると下がっており、他の国が日本以上にジェンダー平等に向けた努力を加速していることがわかる。[56] 日本では現在、約3,700万人の男性と、約3,000万人の女性が働いている。[57]

これを機に自身の家族や職場を見渡して、性別にかかわらずみんなが平等に働ける環境になっているか、ぜひ考えてみてほしい。

54 正式名称は「雇用の分野における男女の均等な機会及び待遇の確保等に関する法律(昭和47年法律第113号)」

55 内閣府男女共同参画局「男女共同参画白書 令和2年版第1節　就業をめぐる状況」. 令和2年 , 2020.
https://www.gender.go.jp/about_danjo/whitepaper/r02/zentai/html/honpen/b1_s02_01.html

56 内閣府男女共同参画局『共同参画』. 2021年5月号.
https://www.gender.go.jp/public/kyodosankaku/2021/202105/pdf/202105.pdf

57 内閣府男女共同参画局『男女共同参画白書』. 令和4年 , 2022.
https://www.gender.go.jp/about_danjo/whitepaper/r04/zentai/pdf/r04_print.pdf

政策名

労働組合法

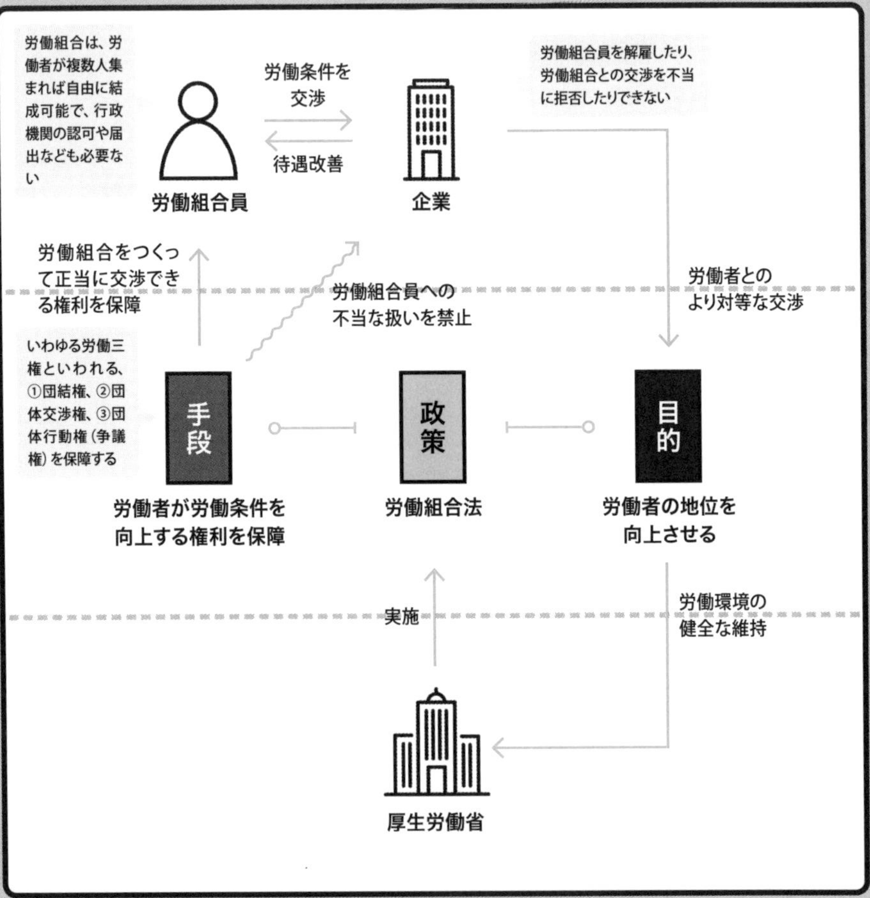

労働者が団結して、
労働条件の向上を図れるようにする

労働者が使用者との交渉で対等の立場に立つための法律

労働組合法は、働く人たちが会社と対等の立場に立ち、よりよい労働環境を築くための重要な法律である。

過去には、このような法律が存在しなかったため、労働組合の活動はしばしば激しいものとなり、労働者の権利が十分に保護されなかった。そこから学び、戦後の日本では、新たに労働組合法が制定され、働く人たちの権利が法的に保護されるようになった。

この法律は、働く人たちが団結し、会社との間で公平な話し合いができる権利を保障する。これには、労働条件の改善を目指す団体交渉権や、ストライキなどの団体行動権も含まれており、これらの基本的な権利は「労働三権」として知られている。労働組合法は、これらの権利を具体的に保護し、労働者の地位向上を図ることを目的としている。

また、労働組合の自由な組織化や団結を支援し、労働協約を通じて会社と労働者の関係を整理することも、この法律の重要な役割である。労働組合法のもとでは、労働組合は特別な法的保護を受けることができ、働く人たちもさまざまな保護措置を享受することが可能となる。

しかし、労働組合には、働く人たちが主体となり、労働条件の改善や経済的地位の向上を目指す団体でなければならない。労働組合法は、会社と労働者が公平な関係を築くための基盤を提供し、労働者の権利を保護するための枠組みを整備する。

労働組合の組合員数は減少傾向だが、働く人たちの権利を守り続ける大切な存在

一方で、すべての働く人が労働組合に参加できるわけではない。たとえば、会社の役員や人事権を持つ管理職は、労働組合のメンバーになることができない。これは、彼らが会社から独立していないと見なされるためである。

また、政治的な活動や社会運動を主目的とする団体も、労働組合法の保護の対象外となる。

労働組合法は、労働者が会社に対して公平な労働条件を求める際の手続きや保護措置を定めている。

これにより、労働者は会社との交渉を通じて、よりよい労働環境の実現を目指すことができる。

しかし、実際の交渉の過程では、会社側が不当な妨害を行うこともある。このような場合、労働組合法は労働者の権利を守り、不当な解雇の撤回や妨害行為の禁止などの救済措置を提供する。

現在の日本では、労働組合の数や組合員数は減少傾向にある。**これは、雇用形態の多様化や労働環境の変化によるものである。**

それでも、労働組合法によって定められた原則や保護措置は、今後も働く人たちの権利を守り続ける重要な存在である。

技術開発を支える

- ☑ SBIR制度
- ☑ 研究開発税制
- ☑ スマート農業実証プロジェクト
- ☑ コンビニ電子タグ1000億枚宣言

政策名

SBIR制度

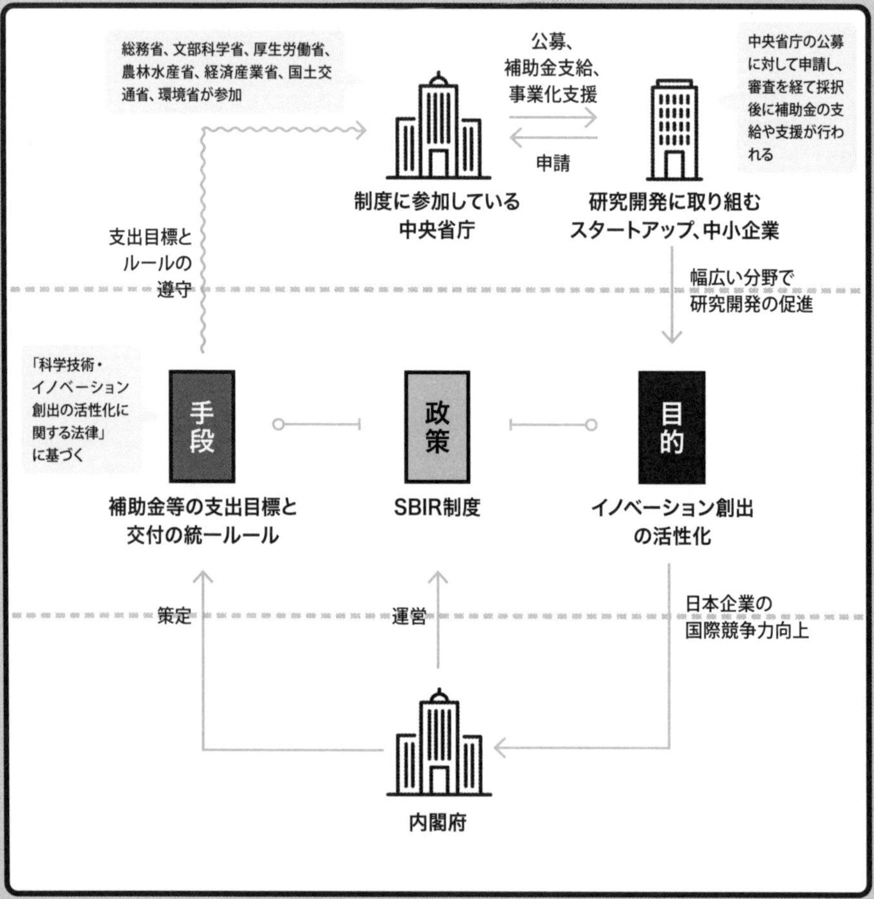

スタートアップ等の研究開発を促し
イノベーションを活性化させる制度

研究開発のための補助金をより利用させ、成果を生み出しやすくする

日本企業によるイノベーションを活性化させるため、スタートアップ等の研究開発に対する補助金は数多く用意されている。ただ、補助金は用意したら終わり、ではない。**より多く利用され、かつ、成果を生み出しやすくするために「SBIR 制度」というしくみがつくられた。**

SBIR 制度とは、Small Business Innovation Research の頭文字を取ったもので、スタートアップ向け支援政策のひとつである。「スタートアップ等による研究開発への補助金等」を中央省庁がそれぞれ用意し、それを内閣府が取りまとめて支出目標と統一ルールを定めることにより、イノベーションを促すことを目的としている。

日本では1999年に SBIR 制度が創設された。そののち2020年に制度改革がなされ、2022年現在も続いている。ここでは新旧の SBIR 制度を比較しながら、制度の特徴を説明する。

旧制度は一定程度成果を出したものの、世界で戦える企業は生み出せなった

まずは旧制度の説明をしよう。1999年に創設された日本の SBIR 制度は、アメリカの産業競争力の礎を築いたと言われる同名の制度をモデルにしたものであった。

当時の日本はバブル経済崩壊後の不況に苦しんでいたが、アメリカは高い経済成長率と雇用の伸びを実現しており、特に中小企業がこの成長を大きくリードしていた。その背景には、アメリカでは国家の戦略として、技術開発力を持つさまざまな分野の中小企業に対して、積極的に研究開発費を交付していくSBIR制度が機能していたことがあり、日本はそれにならったわけである。

日本のSBIR制度では、中央省庁や関係機関がそれぞれ設定する、研究開発のための補助金・委託費等を「特定補助金等」として指定し、支出目標の方針を定めた。また、特定補助金等を受けたスタートアップ等には、特許料等の減免や日本政策金融公庫による特別貸付などさまざまな事業化支援策を活用できるようにした。

この制度は、複数の行政機関に点在する補助金等を取りまとめ、かつ目標を設定することで、それらが利用されることを活性化するとともに、さらにその成果の事業化まで支援することを目的にしていた。

この旧制度のもと、スタートアップ等に対して年間400億円程度の補助金の支出がされ、日本の産業競争力の向上に寄与してきたと言える。一方で、アメリカに比べると、成長企業の育成やイノベーションの創出は劣っており、改善が必要であると考えられるようにもなった[58]。こうした背景を踏まえ、以下3点が変更されて、2020年から新制度が始まった。

変更点①中小企業の経営強化からイノベーション重視に変更

旧制度は「中小企業経営強化法」を根拠規定として、中小企業の経営強化を目的に、中小企業庁が関連省庁を取りまとめていた。

しかし、中小企業の経営を支えることが念頭に置かれていたため、イノベーションの創出までつながりにくいという課題があった。

そのため、イノベーションの創出を重視するよう、新制度は「科学技術・イノベーション創出の活性化に関する法律」を制度の根拠とし、イノベーションの司令塔である内閣府のもと、各省庁が実施することになった。

変更点②補助金の支出目標の対象をより幅広く変更

旧制度は省庁ごとに支出金額に差があった。また、実証実験などを行う初期段階への支援は少ない一方で、研究開発などの第二段階への支援が多い傾向にあった。つまり、支援の分野やフェーズなどにばらつきが生じていたため、新制度ではそれを是正できるように、支出目標の対象をより幅広くなるよう見直した。

変更点③補助金等の交付に関するルールを追加

旧制度は、補助金等の交付方法が各省庁に委ねられていたため、全体としてイノベーション創出の可能性を上げるための工夫が十分になされていない課題があった。

そのため、新制度ではイノベーションの促進に資する補助金等を交付する際に気をつけるべき事項について、統一ルールを定めた。そこでは、政策ニーズに基づく研究開発課題を提示することや、新しい事業や計画などが実現可能かどうかを調べるフィージビリティ調査などの初期段階から段階的に選抜しながら支援するしくみなどが盛り込まれている。

これらの制度の変更によって、スタートアップ等のイノベーションをより確実に、より多く生み出していくことが目指されている。

58 内閣府「令和4年度特定新技術補助金等の支出の目標等に関する方針について」. 令和4年, 2022. https://www8.cao.go.jp/cstp/openinnovation/sbirseido/r4_housin.pdf

政策名

研究開発税制

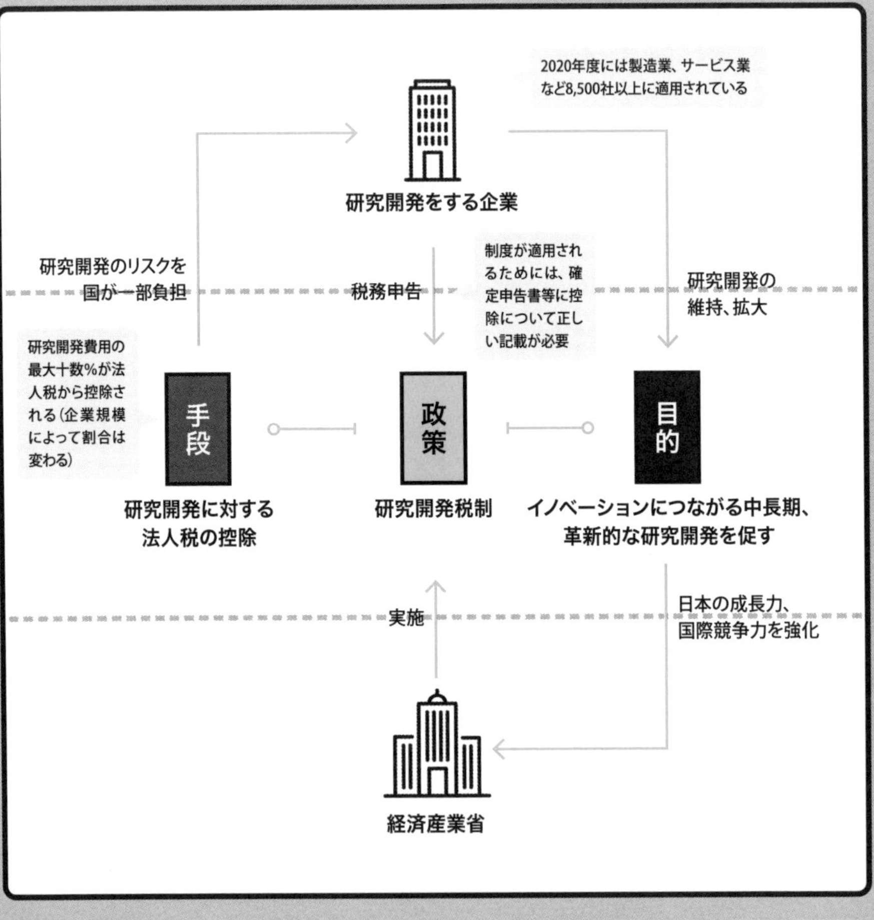

研究開発した費用の一部が法人税から控除されるしくみ

研究開発をした分の、法人税を減らす制度

この研究開発税制は、企業のイノベーションを促すために、技術開発の促進や日本企業の海外競争力強化を目的にできたものである。元々は1967年の税制改正で「増加試験研究費税額控除制度」という期限つきの税制として創設された。

その後、2003年より恒久的な税制となり、時代に合わせて改正を繰り返しながら発展してきた。

本税制は研究開発費の一部を法人税から控除するもので、原則、法人税額の25%を控除額の上限としている（2022年度はコロナの影響等も踏まえた措置として最大50%が上限）。

つまり、税金免除という形で、企業の研究費の負担を軽くするものである。

研究開発と言っても、当初は企業単独の研究開発のみが対象だったが、オープンイノベーションを促進するために大学等の公的機関との共同研究、企業間での連携による研究開発やスタートアップとの研究開発については上乗せでの税額控除がなされるしくみとなっている。

どんな内容のものを研究開発とみなすかについては、①新規性、②創造性、③不確実性、④計画性、⑤再現可能性、が問われ、たとえば単なる製品企画・製造は、①、②などに欠けるため、研究開発とみなされない。

2020年度には8,668社が本税制を利用し、うち562社がオープンイノベーション型の上乗せ措置を活用している。また、件数では約7割、金額では約8割が製造業による利用となっており、IT分野やサービス分野での利用実績は低くなっている[59]。

海外企業の投資呼び込みにもなる

企業の研究開発に対する法人税の税額控除は、日本だけでなく他国でも国内企業の競争力強化や、海外企業の投資呼び込みの目的で行われている。

2019年には日本の研究開発総額は米国、中国に次いで3位だが、インド、ドイツ、韓国などが迫ってきている[60]。

また企業ベースでの研究開発においても2020年では日本企業はトップ10に入っておらず、米国、中国、韓国、ドイツ、スイスの企業がランクインしている[61]。

特にGAFAをはじめとするソフトウェア企業や、デジタルデバイス、製薬、自動車などの産業が上位を占めており、日本においてもデジタル分野、メディカル分野での研究開発投資が増加することが期待されている。

59 経済産業省産業技術環境局 技術振興・大学連携推進課「研究開発税制の概要と令和3年度税制改正について」. 令和4年, 2022. https://www.meti.go.jp/policy/tech_promotion/tax/R4gaiyov2.pdf

60 経済産業省産業技術環境局「我が国の産業技術に関する研究開発活動の動向」. 令和3年, 2021. https://www.meti.go.jp/policy/economy/gijutsu_kakushin/tech_research/shiryou.pdf

61 Nasdaq「Which Companies Spend the Most in Research and Development (R&D)?」. https://www.nasdaq.com/articles/which-companies-spend-the-most-in-research-and-development-rd-2021-06-21

政策名

スマート農業実証プロジェクト

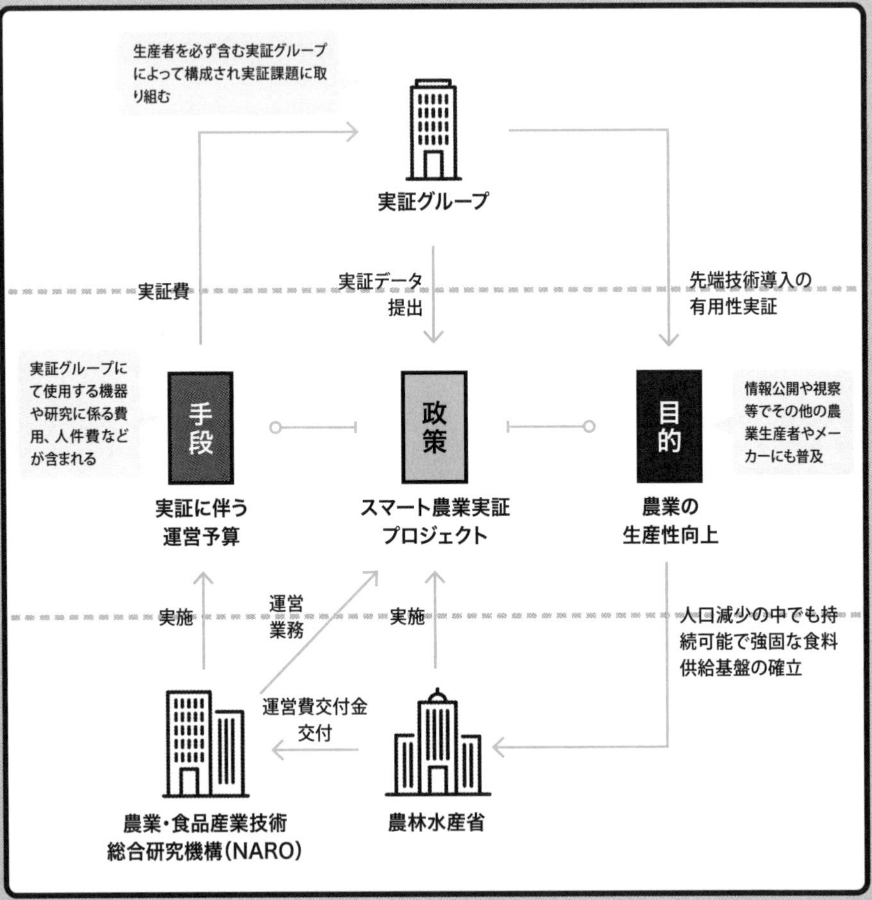

ロボット、AI、IoTなどの先端技術を農業に取り入れる

農業と先端技術は相性がいい

スマート農業実証プロジェクトは、ロボット、AI、IoT など先端技術を活用した「スマート農業」を実証することで、そうした農業の社会実装を加速させていく政策だ。

農業の生産から出荷までの中で先端技術を導入し、政策を運営する立場にある農研機構[62]がそれらの効果を取りまとめ、**分析、公開することができれば、日本の農家への普及を加速させることができるという発想から生まれた政策である。**

日本の農業従事者は年々減っており、農業の担い手は高齢化している。仮に農業の生産量を「労働力×生産性」という単純な計算式で表せるとしたら、日本の場合は前者の労働力の数が小さくなっている。加えて後者の生産性も高齢化によって小さくなってしまっているといわれる。

こうした現状で、日本の農業を持続的に発展させるためには、まずは今の労働力の中で生産性を最大限に上げることが重要だ。そのために有効活用できるのが先端技術である。

農業で最先端技術を使うことについては、世界でも成功事例は多い。世界一の農業大国であるアメリカでは「AgTech (Agriculture × Technology)」と呼ばれ、さまざまなベンチャー企業が農業の生産性向上に取り組んでいる。

代表的な例はドローンだ。ドローンを使って適切な範囲に農薬を散布したり、上空から生育状況などさまざまなデータを収集したり、広い農地を効率よく運営している。

しかしながら、技術を導入すればすぐに生産性が上がるかというとそういうわけでもない。

なぜなら、その生産性を上げるべき労働力である農業の担い手には、技術に明るくない高齢の方の割合も多いからだ。さらに、農業は日々の勘や経験が生産の質の向上につながる部分もあり、なかなかデータを使った技術導入の重要性を経営的に判断しきれないのが実情だ。

とはいえ、これまで日本でもそうした現状を一部で崩してきた。**ロボット技術による生産の自動化がその最たる例だ**。一例を挙げると、北海道大学と大手農業機械メーカーであるヤンマーが共同研究で無人トラクターを開発し、その実用性を証明している。この無人トラクターは、GPS 受信機を搭載し、あらかじめ設定したコースを走りながら、種まきから収穫まで自動でできるシステムを備えている。

このプロジェクトは2019年度から開始しており、2023年度までに全国217地区にて実証研究が行われている[63]。毎年、「スマート農業化」において重要なテーマが公募され、それに対して生産者・メーカー・自治体等を含む「コンソーシアム」と呼ばれる実証グループが応募して選定される。テーマはローカル５G、海外依存度の高い農業資材や労働力の削減、自給率の低い作物の生産性向上などさまざまだ。

実証グループは技術の導入によって現れた経営への変化のデータを提出し、農研機構がそれを分析する。実証グループ以外の生産現場により早く導入するために、広く結果は公開されている。

結果として、ほぼすべての地区で収穫量の増加や労働時間の削減効果が確認できている一方で、スマート農機を導入したことで機械費が増え、利益が減る地域もあった。今後は農場規模やその農場での生産物の類型などに応じた適切な技術を導入できるような取り組みが予定されている。

62 正式名称は「国立研究開発法人農業・食品産業技術総合研究機構」

63 農林水産技術会議.「『スマート農業実証プロジェクト』令和5年度版パンフレットについて」. https://www.affrc.maff.go.jp/docs/smart_agri_pro/pamphlet/

政策名

コンビニ電子タグ1000億枚宣言

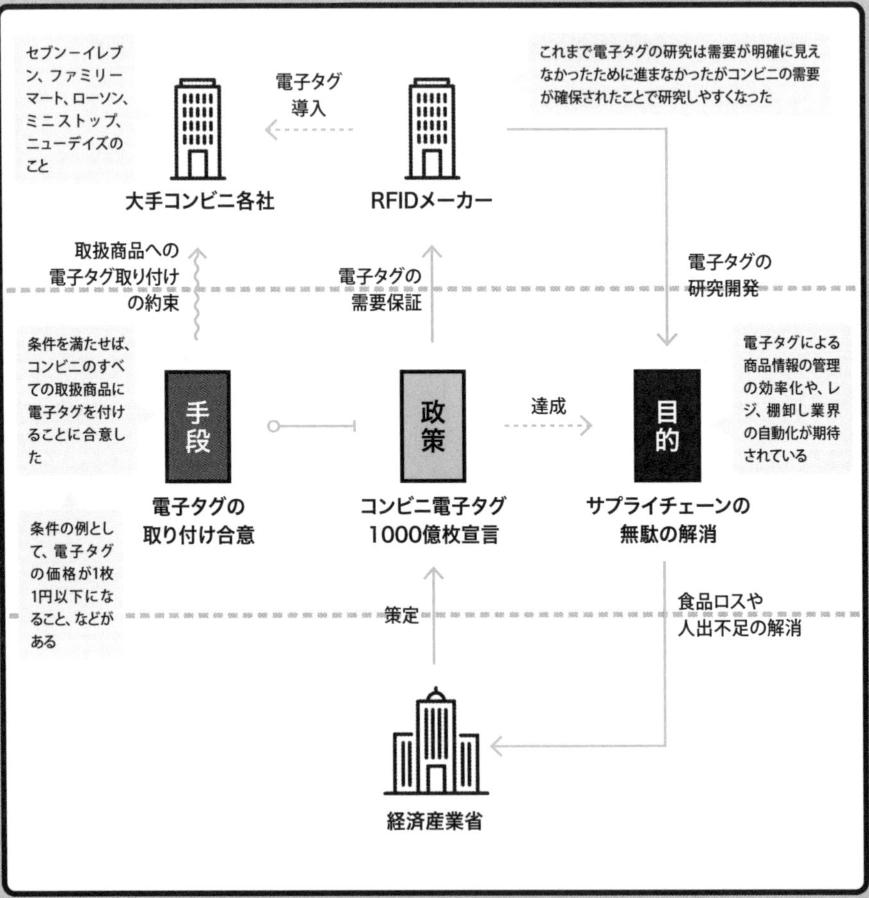

大手コンビニの取扱商品すべてに電子タグを取り付ける

金額の問題から、1社だとできなかった電子タグを政策の力で導入できるように

経済産業省と大手コンビニ5社（セブン-イレブン、ファミリーマート、ローソン、ミニストップ、ニューデイズ）との間で、電子タグ[64]をすべての取扱商品に取り付けるという宣言がなされたことを知っているだろうか。それが2017年4月に発表された「コンビニ電子タグ1000億枚宣言」である。大手コンビニ5社の取扱商品の年間総数が約1000億個となることから、「1000億枚宣言」と呼ばれる。

電子タグをコンビニのすべての取扱商品に取り付けるという、この大きな宣言は、実現のためにふたつの条件が設けられた。

①2025年までに電子タグ1枚あたりの価格を1円以下にすること
②商品のほぼすべてをRFID[65]で管理できる環境を整えること

のふたつである。特に前者の条件が付けられたのは、コンビニで売られている商品は安価であることから、1円以下に抑えないと事業上の観点から実現が難しいからだ。

これまで電子タグは、需要がどれだけあるかがわからなかったために研究が進みにくく、結果、タグの値段が安くならないという負の循環の課題があった。しかしこの宣言により、需要側が1000億枚と規定されたことで、その需要を見込んだ上で研究が促進されることとなった。さらに、電子タグの購入者であるコンビニにとっても、電子タグ1枚あたりの価格が1円以下になるので、導入する合意がしやすい環境が整えられていた。

こうした取り組みが勧められた背景には、流通においては大量生産、多頻度配送を通じて高度に効率化されたロジスティクスが実現されている一方、サプライチェーン全体としてはまだ食べられるのに廃棄されてしまう食品の問題や返品といったさまざまな課題が生じていることがある。

しかし、電子タグが導入されれば、端末ひとつで、いまどこに商品があるかや在庫数が正確にチェックでき、効率よく販売できるようになる。電子タグを導入することによって、たとえば年間646万トンの食品ロスを減らすことに寄与できる。

コンビニの商品の情報は、メーカー、卸、小売の間で分断されていたために、メーカーは商品がどこでいくら売れたのかわからず、大量につくってしまい、配送にも無駄が多くなってしまうという課題もあった。しかし、これも電子タグがあれば、商品がどんな状態でどこにあるかなどが簡単にわかるようになる。欠陥品の追跡ができたり、きめ細かい消費期限の管理などが簡単になるのだ。

小売業が現在直面している人手不足と労務コストの上昇の解消にもなる。電子タグがあれば無人レジで対応できるし、万引き防止対策もできるのだ。少子高齢化による人口減の進む社会における人手不足問題の解消にもつながることが期待されている。

ちなみに、これと同様の動きはヘルスケア領域でも進められており、経済産業省は2018年３月に「ドラッグストアスマート化宣言」を発表、日本チェーンドラッグストア協会との間でRFID等を活用したサプライチェーンの効率化を推進している[66]。

64　電子タグとは、ICチップとアンテナを内蔵したタグ。この中に個別の識別情報等を格納しておくことで、電波を利用し、離れた場所からでも商品のデータを読み書きすることができる。

65　Radio Frequency Identification／無線を利用して非接触で電子タグのデータを読み書きする自動認識技術

66　日本チェーンドラッグストア協会.「経済産業省・日本チェーンドラッグストア協会 ドラッグストア スマート化宣言」. 2018. https://www.jacds.gr.jp/press/newsrelease_136.pdf

市場環境を支える

- ☑ TPP11
- ☑ デジタルプラットフォーマー規制
- ☑ 投資協定
- ☑ コーポレートガバナンス・コード

政策名

TPP11

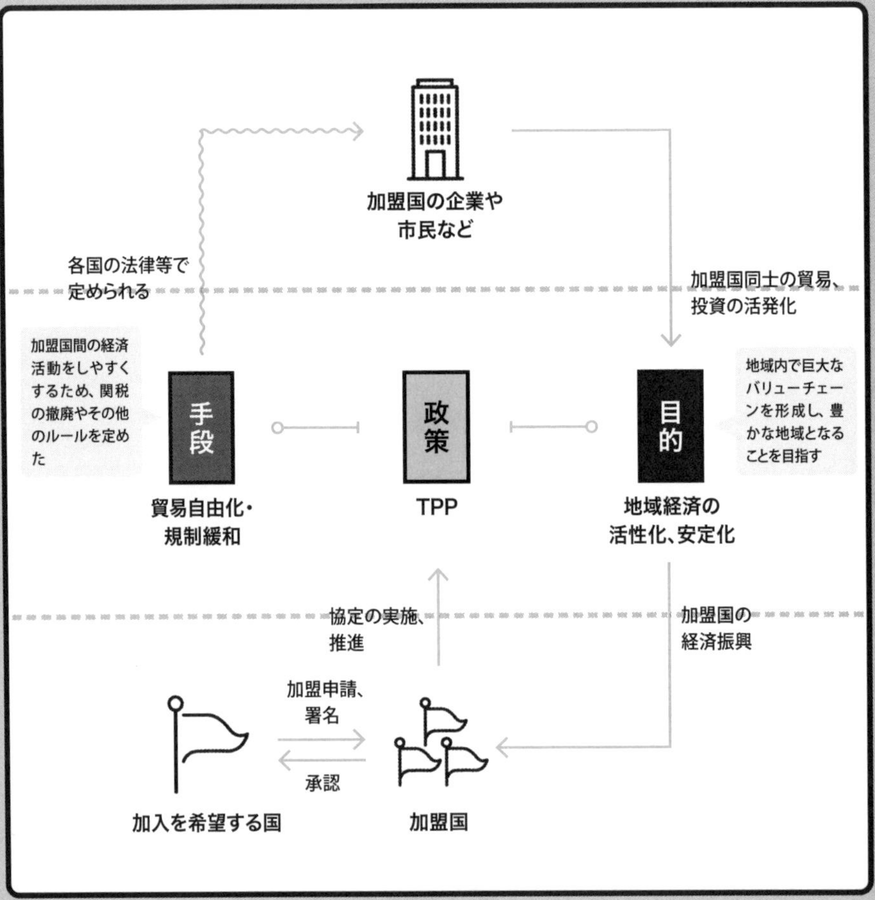

アジア太平洋地域の経済での
規制を少なくし、
貿易などをやりやすくする協定

環太平洋地域で新しいルールをつくり、経済活動を行いやすくする

TPPは、環太平洋パートナーシップ(Trans-Pacific Partnership)の略称だ。この政策は、太平洋やその周辺に位置する国・地域の間の経済を連携させるための協定だ。

TPP11という協定の正式名称は、「環太平洋パートナーシップに関する包括的及び先進的な協定」(CPTPP)である。

TPP11は、ただの貿易協定ではない。通常、経済連携といえば、友好的な国々がお互いの間の貿易にかかる税金(関税)を下げることが一般的だが、TPP11はそれ以上のことを目指している。具体的には、商品の関税撤廃だけでなく、サービスや投資の自由化、知的財産の保護、金融サービス、電子商取引、国営企業の規制など、多岐にわたる分野で新しいルールをつくり、参加国全体でそれらを活用できるようにすることが特徴[67]だ。

具体的に、知的財産と電子商取引を例に挙げて、どんなルールがあるのかを説明しよう。

たとえば、著作権の保護期間は原則著作者の死後50年であるが、TPPでは70年まで延長される。このような知的財産(商標・特許・著作権など)の保護には、世界貿易機関(WTO)などの国際ルールを上回る水準を定め、知的財産の保護と利用の推進を目指している。

また、電子商取引(EC)でも、TPP11では国家間で締結されているルールよりも包括的で高いレベルの内容が決められている。加盟国間での電子商取引に関税をかけないことや、ビジネスをするためにその国内にコンピュータ関連設備の設置を要求しないことなど、消費者保護のためにルールを決めているのだ。

次に、協定を構成している国について見てみよう。さきほども述べたように二国間ではなく複数の国で構成されていることが特徴だ。協定を構成している国について見てみると、2023年７月時点の加盟国は、日本、オーストラリア、ブルネイ、カナダ、チリ、マレーシア、メキシコ、ニュージーランド、ペルー、シンガポール、ベトナムだ。

現在の加盟国は上記の11か国だが、当初はTPP12としてアメリカを加えた12か国で交渉がされていた。

ちなみにアメリカを含む当初の協定が「TPP（環太平洋パートナーシップ）」だ。こちらの名前のほうがなじみのある方もいるかもしれない。しかし、アメリカの脱退後、「CPTPP（環太平洋パートナーシップに関する包括的及び先進的な協定）」に改められた。日本国内では両者の違いがわかりやすいよう、国の数を用いて「TPP12」「TPP11」の略称が用いられることが多い。今後TPP11からさらに加盟国が増えた場合には名称も変わりうる。

大企業だけではなく、中小企業も利益をあげやすい

では、TPP11はどの程度の経済効果があるものなのだろうか？

11か国合計のGDPは10兆ドル超で、世界全体の13％を占めている。

日本政府は当初、このTPP協定により、日本の実質GDPが７兆8,000億円（約1.5％）押し上げられ、労働供給は約0.7％（約46

万人）増加すると試算していた。[68]

大企業だけでなく中小企業でも締約国とのビジネスがしやすくなり、かつ、関税の削減により、消費者は海外の牛肉や乳製品などを手軽な価格で購入できるようになることが期待されていた。ただ、新型コロナウイルス感染症の流行で、現時点での経済効果の評価は難しい状況だ。

こうした状況であるとはいえ、2023年７月にはイギリスの加盟が正式に承認され、TPP の経済圏がアジア太平洋から欧州にまで拡大する兆しを見せている。その他の国・地域からの加盟への関心の高まりやアメリカ復帰の可能性も考慮すれば、さらに TPP が拡大し、経済効果が大きくなる可能性はあるだろう。

67 内閣官房.「TPP11について」.
https://www.cas.go.jp/jp/tpp/tppinfo/kyotei/tpp11/index.html

68 この試算はアメリカも含んだもの
内閣官房TPP等政府対策本部.「日EU・EPA等の経済効果分析」. 2017.
https://www.cas.go.jp/jp/tpp/tppinfo/kyotei/tpp11/pdf/20171221_eutpp_bunseki.pdf

政策名

デジタルプラットフォーマー規制

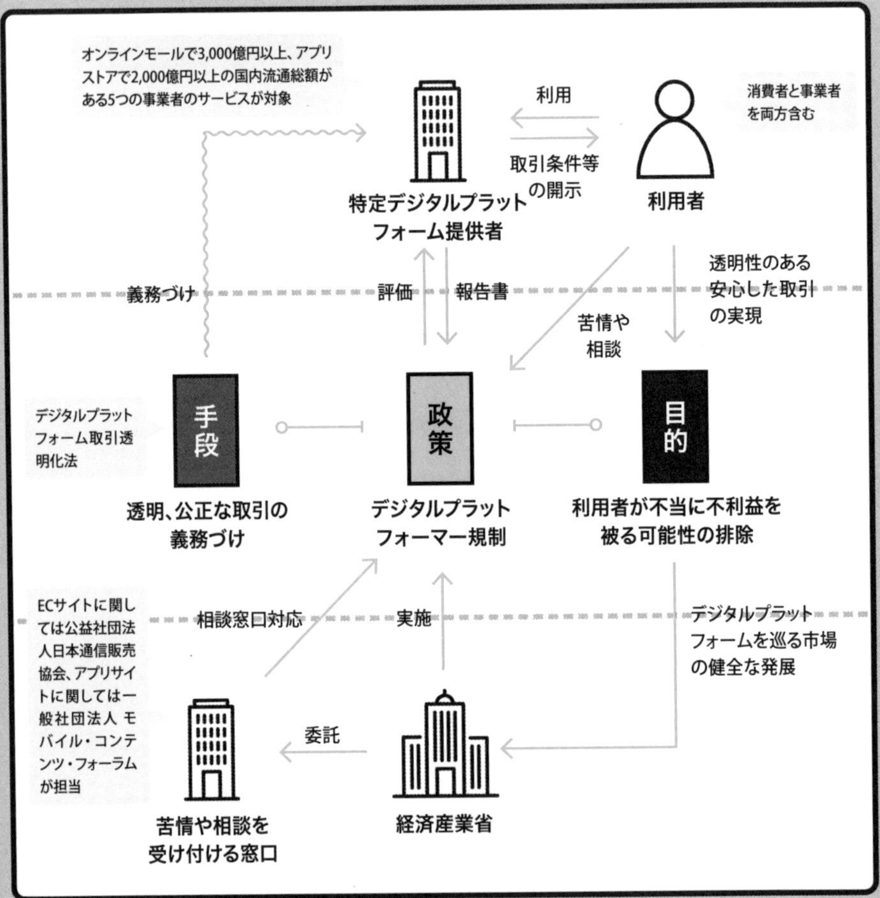

巨大プラットフォーマーを規制する制度

これまで法整備が追い付いていなかった米国の巨大IT企業を規制

ここ最近、米国の巨大IT企業、いわゆるGAFA（Google、Apple、Facebook、Amazon）などのデジタルプラットフォーマーに対する法的規制がアメリカやEUなど世界各国で強まっている。デジタルプラットフォームとは、最新IT技術やデータを使って、オンラインの「場」をつくるもので、たとえばアマゾンのネットショッピング画面などがこれにあたる。

2021年6月には更にその規制を強め、プラットフォーム上での自社製品やサービスの優遇を禁止することなどを含めた法案が提出され、今後もその動きが加速していくことも考えられる。

こうした規制の機運が日本でも同じく高まっている。それがこの「デジタルプラットフォーマー規制」と呼ばれる政策である。

国の規制関与は最小限にしつつも、**デジタルプラットフォーム提供者に、自主的に取引の透明性を向上させることを法律によって義務づけるものだ。**

プラットフォーマーは独占・寡占を生みやすい

なぜ規制が必要なのだろうか？

プラットフォーム事業は、しくみとして、多くの人が使えばより便利になり、より便利になればより多くの人が使うようになる、という循環が働きやすいビジネスモデルである。

たとえばECサイト事業の場合、出品者が増えれば増えるほど、消費者は魅力を感じて商品を購入する。そして、消費者が増えれば増えるほど、今度は出品者が更に増え、よい商品を出品しようとなる。

このモデル自体は優れたしくみである一方、**一定数の利用者を一度獲得すると他のプラットフォーマーが参入しづらくなり、大手プラットフォーマーに利用者が集中する。**つまり、独占・寡占を生みやすいのだ。

加えて、利用者は一度決めてしまうとなかなか切り替えることはしない。**そのためプラットフォーム事業者は、優位性を利用して自分たちの都合のいいルールを敷いてしまうこともある。**実際に、アマゾンジャパンはECサイト上でのポイントの値引きをするときに、その値引き負担を一方的に「出品者」に要求していたことがある[69]。

つまり、私たちの生活が便利になる一方、サービスを提供する企業側が巨大な力を持ち、「経済の自由」が阻害される可能性も大きくなっていることから、規制が必要とされたのだ。

日本には「独占禁止法」と呼ばれる法律があり、これは優位的な立場にある事業者が、一方的で不当な取引を規制するものだ。この法律では、もちろんデジタルプラットフォーマーも対象になり、過去に公正取引委員会による指導を受けた事例もある[70]。

ただし、独占禁止法は、不当な取引が行われた後にその取引を排除するという事後でしか対応できない。プラットフォーム事業の特性上、すでに優位になった後では規制が手遅れになるのである。

そこで取引前にデジタルプラットフォーマーの行為が規制できる

ようにこの政策が生まれた。内容としては、事業者に利用者への取引条件の開示を義務づけることはもちろんのこと、公正な取引のために自主的に何を整備しているのかの体制状況の報告書を毎年提出させ、経済産業省はそれに必要があれば改善を促す。このしくみによって、不透明な取引が行われることを事前に防ごうとしている。

この法律では、規制を受けるデジタルプラットフォーマーを明確に決めている。オンラインモールで3,000億円以上、アプリストアで2,000億円以上の国内流通総額があるサービスである。具体的にはアマゾンジャパン、楽天グループ、ヤフー、Apple Inc. およびアイチューンズ、Google LLC の 6 社 5 サイトが対象となった。

インターネット業界におけるサービスは日々目まぐるしく進化しており、どうしても問題を起こす可能性のあるサービスの変化を事前に検知し、防ぐことは難しい。それゆえこの政策では、あくまでもデジタルプラットフォーム事業者が自主的かつ積極的に公正な競争環境を整備することを求めている。政府と事業者の協調によって、利用者保護と、更なる利便性向上が両立されることを期待したい。

69 日本経済新聞.「アマゾン、1400社に20億円返金 公取委は行政処分見送り」.
https://www.nikkei.com/article/DGXMZO63673890Q0A910C2I00000/

70 BUSINESS LAWYERS.「プラットフォーマーに対する法規制の最新動向-独占禁止法による規制を中心として」.
https://www.businesslawyers.jp/articles/682

政策名

投資協定

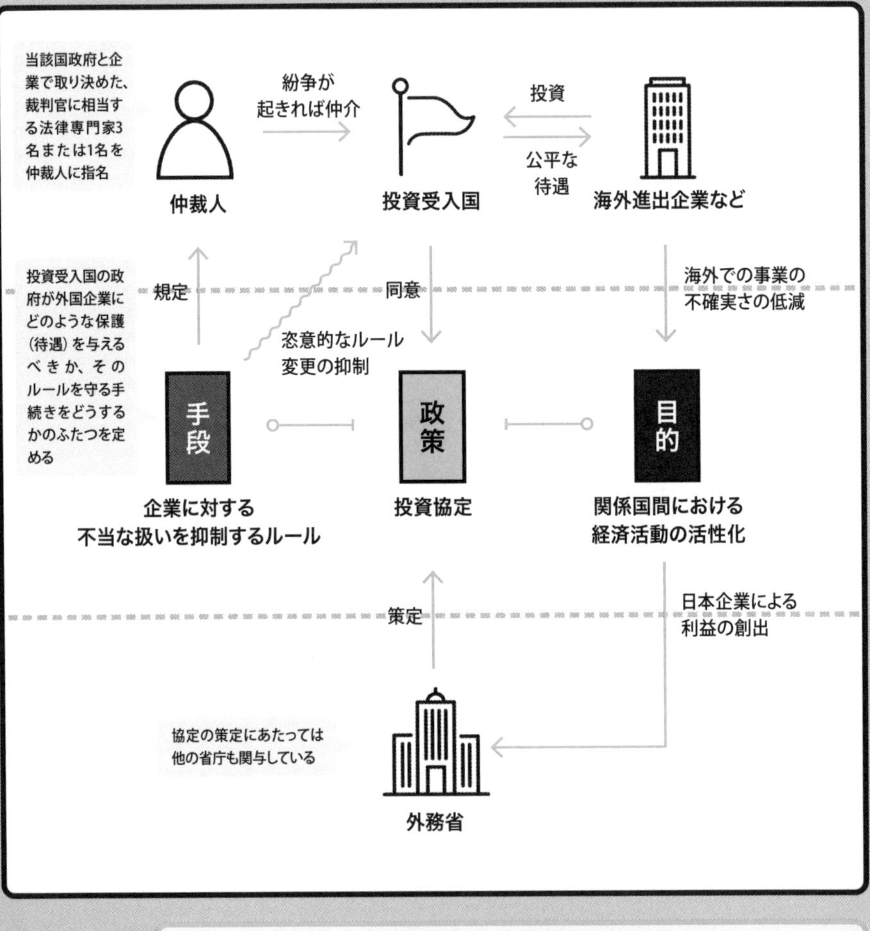

企業が安心して海外に進出できるように

投資家が海外へ投資した財産が守られる制度

グローバル化により、日本企業にとって海外市場への進出は非常に重要だ。しかし、海外進出をすることで、予期せぬトラブルに巻き込まれる可能性もある。**国が違えば、政治の状況や法律、慣習などが違うので、安定して会社を経営することが難しいなどということも起こりうる。**こうしたトラブルを解決する方法のひとつとして、投資協定がある。

「投資協定」は、海外の投資家（企業や国も含む）と投資受入国が締結する国際協定で、「海外の投資家と投資した財産を保護」することが定められている[71]。多くの場合は２国間で締結されるが、３か国以上で結ばれる場合もある。

せっかく投資をしても、その国の方針で財産が没収されたこともある

なぜ投資協定が必要になったのだろうか？　投資協定は1959年に初めて、西ドイツとパキスタンの間で結ばれた。この時期はアジア・アフリカの植民地が独立を果たした時期で、独立後の国々が領土内の外国人の財産を没収する事例が増加した。

このようにせっかく投資した財産が没収されてしまうと、海外への投資をためらう投資家が増える。そうなると、海外に投資をしたい投資家やそれを推進したい資本の輸出国だけでなく、海外からの投資を獲得したい国にとって望ましくない状況となってしまう[72]。

国家間の貿易に対しては、世界貿易機関（WTO）が包括的な国際ルールを定めているが、投資に関してはこのような包括的なルールが存在しなかったため、国家間での協定が結ばれるようになった。

当初はいわゆる先進国と発展途上国で結ばれることが多かったが、海外への投資額が増加するにつれて、先進国同士や途上国同士でも締結され、2020年末の時点で2,900件以上の協定が結ばれた。日本も1978年にエジプトと投資協定を結んで以来、協定の締結数を増やし、90を超える国と地域をカバーしている（交渉中を含む[73]）。

もし投資受入国が投資協定に違反した場合、投資家は投資協定によって、現地の政府と対話をすることができる。

さらに、受入国の対応が原因で大きな損害が生じている場合は、投資家と国家の紛争解決手続の制度を用いることもできる。これは、海外の投資家が投資受入国を相手に仲裁人に提訴できるしくみである。仲裁人がいることで、海外の投資家は受入国内の裁判所ではなく、より公平性の高い仲裁人のもとで協定違反を訴えることができる。

投資分野の拡大や、持続可能な社会の実現に向けて、投資協定も変化し続けており、かつこれからも変化が求められている。

たとえば、国連貿易開発会議[74]では、気候変動問題の文脈から投資協定の改定を強く求めている。なぜなら、2010年代初頭までに締結された投資協定は、環境保護や気候変動対策をほとんど考慮せずに締結されたからだ。

世界中の国が環境問題などの社会問題の解決に責任を負っている現在では、投資協定のルールづくりにもそれらを考慮することが求められているのではないだろうか。

71 一般に、投資協定は投資に関するルールのみを定めたものを指す。一方で、経済連携協定(EPA：Economic Partnership Agreement）や自由貿易協定(FTA：Free Trade Agreement）等の貿易に関する協定にも、投資に関する章を含むものもある。これらは投資関連協定と呼ばれている

72 小寺 彰.「国際投資協定：現代的意味と問題点－課税事項との関係を含めて」. 2010.https://www.rieti.go.jp/jp/publications/pdp/10p024.pdf

73 経済産業省.「通商白書」. 令和4年版，2022

74 開発と貿易、資金、技術、投資および持続可能な開発の分野を総合的に扱う

政策名

コーポレートガバナンス・コード

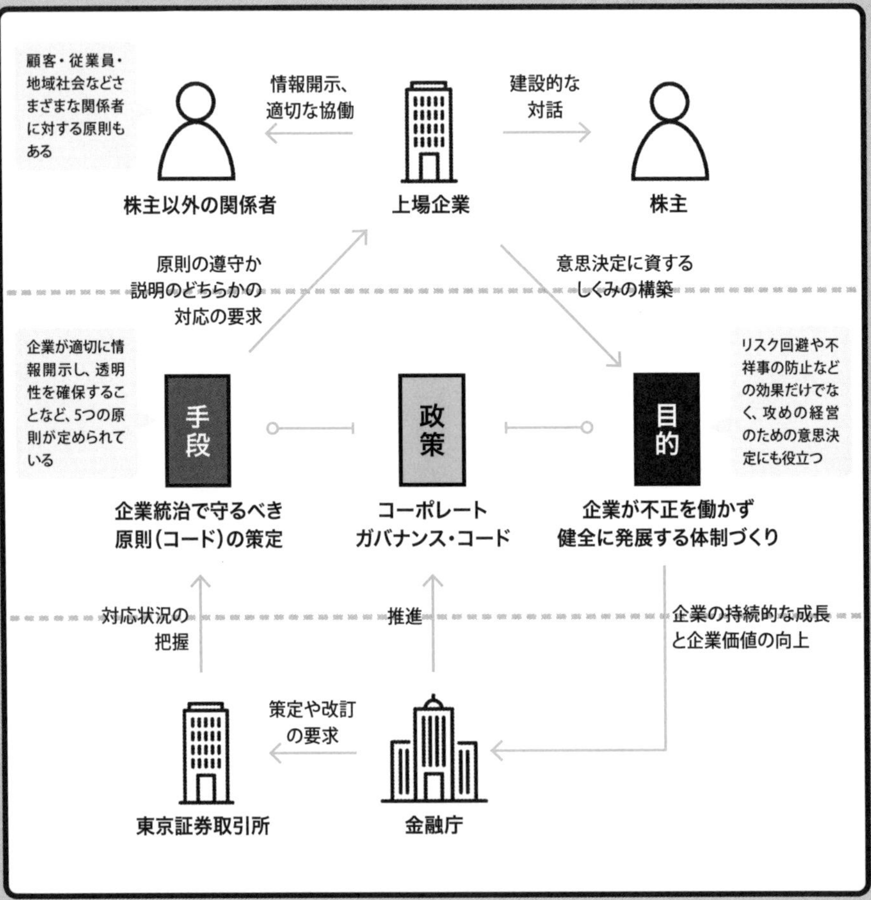

上場企業が透明・公正な意思決定をするための原則

コーポレートガバナンスとは、企業が不正をしないためのルール

コーポレートガバナンス・コードは、直訳すると「企業統治の指針」である。ニュースなどで、企業の不正や不祥事を見たことはないだろうか。こうした不正や不祥事が起こってしまうのは、外部からのプレッシャーや個人の利益追求などで経済性を求めるあまり、法律から逸脱した行動をとってしまうからだ。

こうした行動が起きないようにするためには、株主をはじめ取引先・顧客・従業員・地域社会など、参加する人全員の利害を考え、ルールを守る必要がある。「コーポレートガバナンス」(企業統治)とは、会社が、ステークホルダー全員の立場を踏まえた上で、透明・公正かつ迅速な意思決定を行うために監視や統制するしくみのことなのだ。特に上場会社が行うべきコーポレートガバナンスについて、主なルールや指針を示したのが「コーポレートガバナンス・コード」である。

コーポレートガバナンスは、そもそも企業が自ら考えて取り組むものであるが、上場会社の場合は国や証券取引所が示すコーポレートガバナンス・コードを参照することになっている。その狙いについて、コーポレートガバナンス・コードの冒頭には以下の説明が記されている。

(コーポレートガバナンス・コードが)適切に実践されることは、それぞれの会社において持続的な成長と中長期的な企業価値の向上のための自律的な対応が図られることを通じて、会社、投資家、ひいては経済全体の発展にも寄与する[75]

つまりコーポレートガバナンス・コードがなぜ必要なのかというと、各企業が持続的に成長し、企業価値を向上させることができるようにするためだ。

日本の企業に不祥事があると、海外投資家から資金が集められない

このコーポレートガバナンス・コードは、第二次安倍内閣で打ち出された「三本の矢」のひとつである「民間投資を喚起する成長戦略」と密接な関わりがある。これを推進し、日本の企業の「稼ぐ力」、つまり、中長期的に収益性や生産性を高めていく力を強化する狙いがあった。稼ぐ力は日本国内に限った話ではなく、海外からお金を獲得することも含まれる。

コーポレートガバナンス・コード策定前の日本企業は、オリンパス事件[76]など、不正会計や経営者による不正などの不祥事が発生しており、より透明性の高い経営をすることで海外投資家からの投資を集める狙いがあった[77]。

では、具体的に内容を見てみよう。コーポレートガバナンス・コードは、５つの「基本原則」と、より具体的な「原則」、さらに具体的な行動レベルまで落とし込んだ「補充原則」の３段階で構成されている。

ここでは、コーポレートガバナンス・コードが具体的にどんな内容なのかざっくりとイメージを持てるように、基本原則について、抜粋して紹介する。

たとえば、基本原則１には、「株主の権利・平等性の確保」という項目がある。これは、株主の権利が確保され、行使できる環境を整えるべきだといった内容や、少数株主や外国人株主などの平等性も保たれるよう、配慮すべきだといった内容が書かれている。

次の基本原則2の「株主以外のステークホルダーとの適切な協働」の項目では、会社の持続的な成長と中長期的な企業価値の創出は、従業員、顧客、取引先、債権者、地域社会などさまざまなステークホルダーに支えられた結果だと認識して、これらのステークホルダーとの適切な協働を努めるべき、といった内容が含まれている。

他にも、情報開示や透明性、取締役会の責務について、株主との対話についてなどが書かれており、さまざまな観点で企業が守るべき指針が示されていることがわかる。

企業にただ表面的に守らせているだけではコーポレートガバナンスは意味がない

内容を見てわかる通り、コーポレートガバナンス・コードは主な“原則”を示したものであり、原則遵守の“義務”を定めたものではない。基づいているのは「コンプライ・オア・エクスプレイン(comply or explain)」という手法で、各企業は、原則を遵守する(コンプライ)か、もしくは実施が適切でないと考える場合にはその理由を説明する(エクスプレイン)かを、それぞれ選べるようになっている。

しかし、そのどちらも行わない場合には、その旨を東証により公表されることになっている。そうなると、株価に悪影響を及ぼす恐れがあり、上場企業はそのリスクを避けるため、義務がなくともコンプライかエクスプレインのいずれかに対応しているというわけだ。

コーポレートガバナンス・コードは企業の主体性による部分が多い制度だが、運用上の課題がいくつか指摘されている。そのひとつが、企業や投資家を形式主義に陥らせているのでは、という懸念である。[78]

原則が細かく定められることによって企業の対応負荷が増えているのではないか、必ずしも必要でない項目もあるのではないか、企業が適切と考える経営体制と、コーポレートガバナンス・コードで示されている内容が合致しない場合に、企業の戦略を疎外しているのではないか、などのような懸念だ。

こうした現状を踏まえて、コードの各項目の意義・効果・課題について継続的に検証することや、企業と投資家が建設的に対話することの重要性が、日本経済団体連合会（経団連）から提言されている。変化のスピードが速い現代社会において、企業の指針を定めるコーポレートガバナンス・コード自体もどうあるべきか議論されている最中だ。

75 株式会社東京証券取引所.「コーポレートガバナンス・コード」. 2021
https://www.jpx.co.jp/equities/listing/cg/tvdivq0000008jdy-att/nlsgeu000005lnul.pdf

76 オリンパス事件とは、オリンパス株式会社が10年以上にわたって巨額の損失を隠し、経営状況をよく見せようとして不正な会計処理(粉飾決算）を行った問題。2011年に発覚した

77 こうした背景から、2014年に閣議決定された「『日本再興戦略』改訂2014」では、東京証券取引所がコーポレートガバナンス・コードを策定することが定められていた。翌2015年には、金融庁と東証が共同でコーポレートガバナンス・コードを制定し、現在は金融庁の指示のもと、東証がコードの改訂や対応状況の把握を行っている

78 日本経済団体連合会.「再改訂コーポレートガバナンス・コードの実効性の向上」. 2022
https://www.keidanren.or.jp/policy/2022/047.html

002
社会を支える

教育 を支える

地域 を支える

健康・医療 を支える

生活 を支える

社会基盤 を支える

自然環境 を支える

教育 を支える

- ☑ 大学ファンド
- ☑ 高等教育の修学支援新制度
- ☑ 未来の教室
- ☑ 授業目的公衆送信補償金制度

政策名

大学ファンド

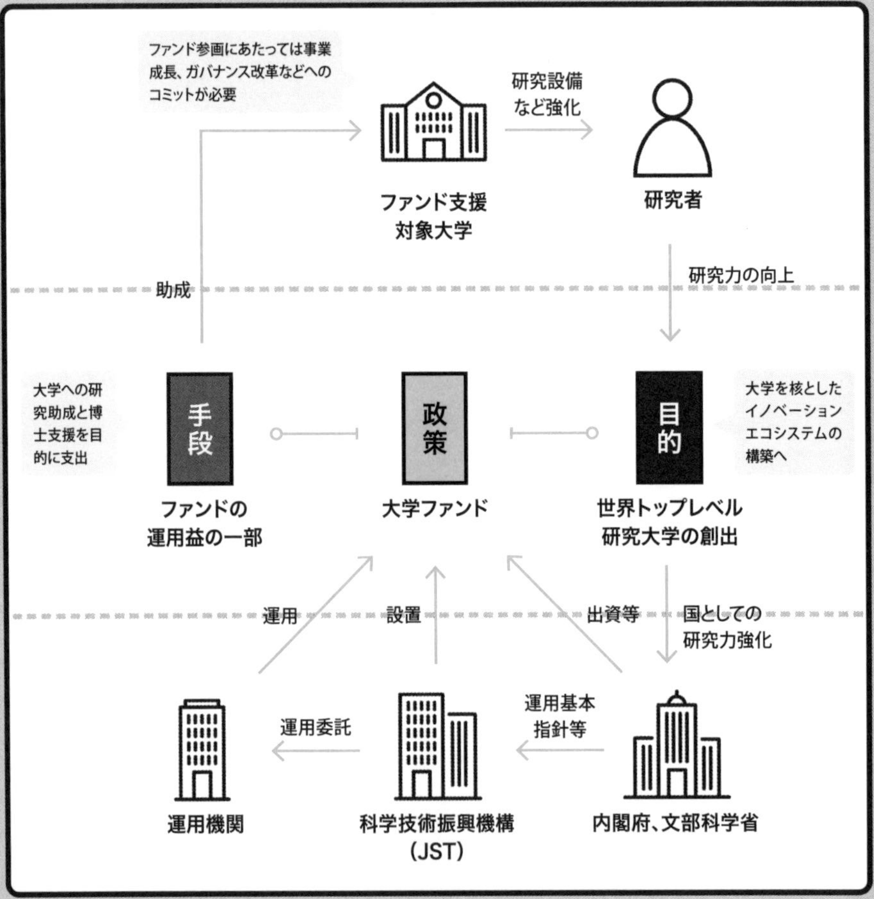

大学を支援し、世界トップレベルの研究を創出

運用したファンドの利益を大学運営にあてることは日本では画期的

2020年、これまで大学にはなかった大きな動きがあった。「10兆円規模の大学ファンド構想」の表明である。

これは、政府がファンド（基金）を設立し、その利益を大学の運営に当てるというものだ。10兆円という大きな額からも、その政策に込められる期待値の高さがわかる。

2021年度の日本政府の予算額は約106兆円[79]だ。これを考慮すると、**政府の１年間の予算の約10分の１の額が本ファンドに積み立てられる計算になる。**

実は、大学がファンドを運用することは世界的に見ると珍しいことではない。世界の名だたる大学では大規模な基金を保持しており、その運用益を活用して、研究設備を増強したり、外部から優秀な人材を採用したりといった改革を進めている。たとえば、ハーバード大学の基金は約4.5兆円、イェール大学は約3.3兆円だ。

日本の大学にも基金を有している大学はあるが、その規模は東京大学で約149億円、京都大学で約197億円とまだまだ小規模なのが現状である[80]。

日本の大学を変革するための政策

大学ファンドは、そういった日本の大学を変革するための政策である。**日本の研究力を世界トップレベルに引き上げ、博士人材をはじめとした優秀な若手研究者の育成を行うことが大学ファ**

ンドの主な目的だ。

ファンドの支援対象となる大学は、ファンドの運用益を活用し、自大学の研究環境や設備などに投資を行っていくことになる。

具体的な大学ファンドのしくみとしては、文部科学省が所管する「国立研究開発法人科学技術振興機構（JST）」のもとに基金（＝大学ファンド）を設置し、その基金に政府予算を活用しながら10兆円規模の運用資金を積み立てることとなっている。

それだけの資金を運用する際には、長期的な視点から安全かつ効率的に運用できるように、政府から運用にあたっての基本指針をJST側に示し、それを元にJSTとJSTから運用委託を受ける運用機関がファンドの運用を行うことになる。ファンドの運用益が出ると、大学側に資金の配分を行っていくこととなる。

そして、この「ファンドの運用益を活用して大学向けに支援を実施する」という施策のしくみ自体も、これまでの単年度予算を原則とする国の予算執行システムからして異例な取り組みであると言える。

安定的な運用が実現されている限り、元本部分は維持され、プラスで生じる運用益が大学に配分されることにもなるため、持続的な予算のしくみの一例でもある。施策の枠を超えた政府予算のしくみとしても注目したいところだ。

なお、本ファンドに大学が参画するにあたっては、ミッションの見直しや事業成長、ガバナンス改革などのコミットメントを求められるのもポイントだ。上述した大規模な基金を有するような世界のトップ大学においては、自由な裁量を大学が持つのと引き換えに、組織としてしっかりとしたガバナンス体制を有し、大学としての成長を追求している。

大学ファンドは50年という期間が定められている政策であり、将来的には海外と同様に、日本の大学が自らの資金を元手に基金を運用するしくみを導入することが求められる。

これは、優秀な人材や研究基盤を強化するためにも、大学が経営体として事業成長をしていくことが必要になってくるからだ。日本の大学が世界トップレベルの研究力を兼ね備え、日々刻々と変化するグローバル社会の変革を先導することが、大学ファンドという政策の先の姿として描かれている。

79 財務省.「令和3年度予算のポイント」. 令和3年, 2021.
https://www.mof.go.jp/policy/budget/budger_workflow/budget/fy2021/seifuan2021/01.pdf

80 内閣府世界と伍する研究大学専門調査会.「世界と伍する研究大学について(資金関係)」.
https://www8.cao.go.jp/cstp/tyousakai/sekai/2kai/siryo2.pdf

政策名

高等教育の修学支援新制度

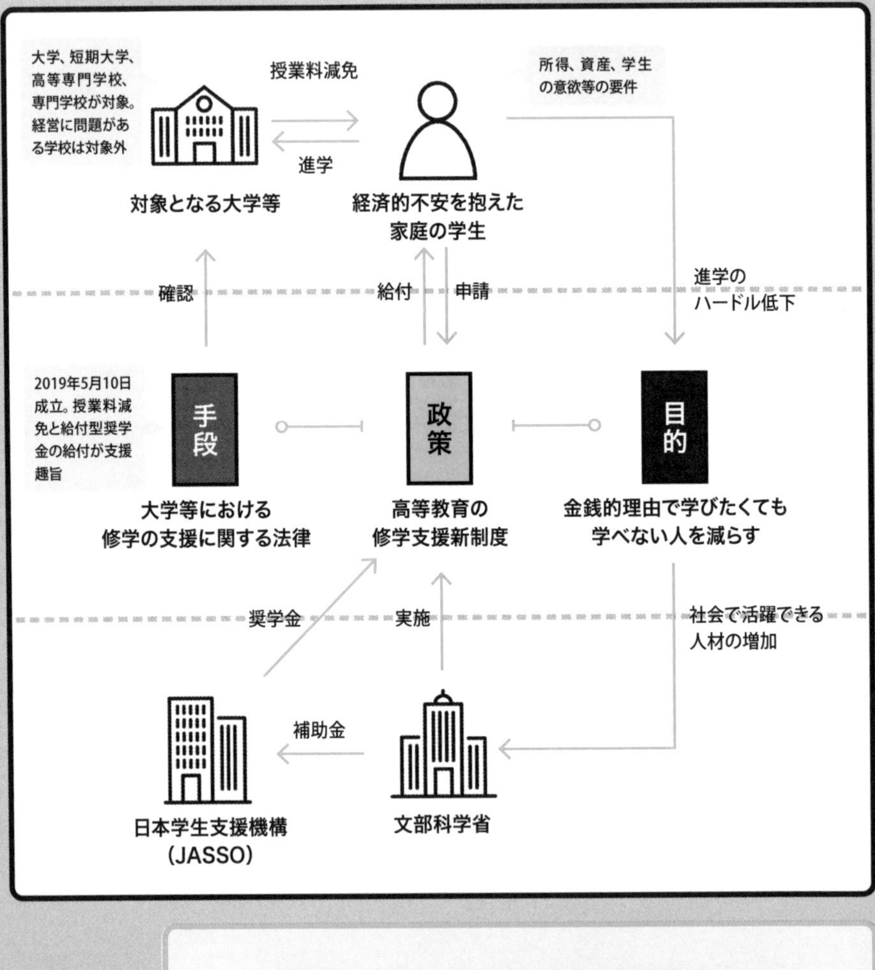

経済的支援が必要な学生が安心して学べる環境を整備する

学びたい大学で学べる学生を増やすために

2020年４月にこの高等教育を支援する政策「高等教育の修学支援新制度」が開始された。経済的な理由で学びたくても学べない学生を、授業料や入学金の負担を減らしたり、返済不要な奨学金を給付することによって、より後押しする政策である。

一般に「大学無償化」とも呼ばれるが、正式には「高等教育の修学支援新制度」であり、大学のみならず、短大、専門学校、高等専門学校が対象の学校になる。ほとんどの学校が対象ではあるが、経営に問題がある大学は大学無償化の対象外となっている。

なぜこのような支援が必要なのか。**それは、より公平に教育へのアクセスを実現するためだ。**

たとえば、国公立大学であっても進学してから卒業するまでの必要資金は約500万円[81]と言われている。大学進学は親元を離れて一人暮らしを始める学生も多いことから、その費用は大学で学ぶための授業料だけではなく、生活費もかさんでくる。特に低所得世帯の学生にとって安定して学べる最低限の環境を整えるためには、この支援制度をうまく活用することが求められる。

ただこれまでも奨学金制度や、大学によっては試験等での成績を基準として優秀な学生を特待生として認定し、学費の免除などの特別な支援は行っていた。

この政策がこれまでの支援と違う点は、国によって対象となる学生の基準とその支援段階が明確に決められており、その支援金額も統一化されていることだ。

これまでは、奨学金や特待生制度によって支援される金額や基準はその運営元によってさまざまだった。そのため、奨学金制度の場合は、学生は自らに合った制度を、自分で探し、自分で選ばなければならない。

特待生制度についても、大学によって支援金額が異なったり、学校運営の資金不足からそうした学生支援を行っていない大学もあったりと、その支援の差によって受験する大学を選ばざるを得ない学生もいるようだ。

こうして、支援される学生の基準やその支援金額が、運営元によって独自に決められていると、学生たちはそれを大学選定のひとつの基準とするようになり、本当に学びたい大学で学ぶことをためらうことも考えられる。

公平な条件で、公平な支援を受けられる

しかし、この政策では、ふたつの基準をクリアすれば全員が対象になる。ひとつは、世帯収入や資産の要件を満たしていること、もうひとつは、学ぶ意欲がある学生であることだ。このふたつはそれぞれ詳細な条件があるが、もし気になる方がいたら調べてみてほしい。また、支援金額も、進学先の大学等の区分などに応じて、条件が明確に定められている。

これによって、まずは低所得世帯の学生の、学びたい意欲を網羅的に救うことができるようになる。もちろん今回の支援が受けられる学生の範囲が狭いのではないか、という声も一部である。今後の見直しを含め、支援が本当に必要な学生を支援し、社会で活躍できる人材が増えることを期待したい。

81 日本政策金融公庫.「教育費負担の実態調査結果」. 2020.
https://www.jfc.go.jp/n/findings/pdf/kyouikuhi_chousa_k_r02.pdf

政策名

未来の教室

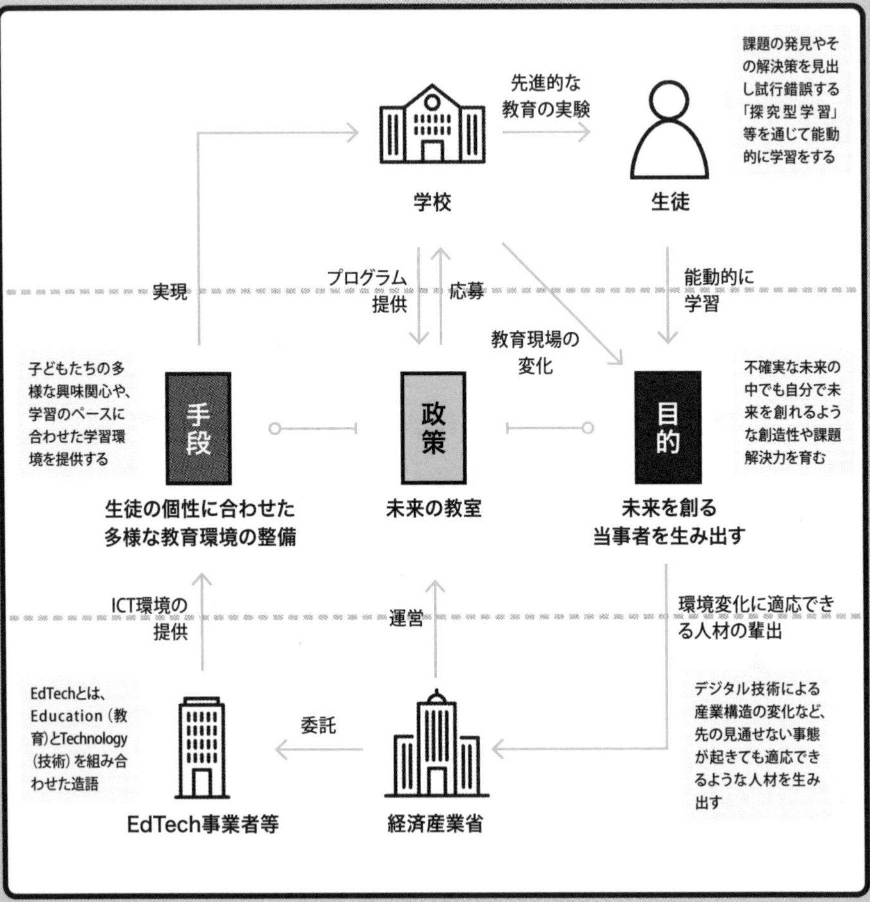

ICTを活用して
生徒一人ひとりのための
最適な教育を提供する

先の読めない時代に、活躍できる子どもを創る

未来の教室は、子どもたちが、未来を創る当事者（チェンジ・メイカー）になるための新しい教育環境をつくる政策だ。教育（Education）と技術（Technology）を組み合わせたEdTech（エドテック）を活用した新しい学び方を、2018年から実証している。

この政策が必要とされた理由としては、日本内外の社会の大きな変化が背景にある。

戦後の日本社会は、しばらくは急激な人口増をベースにした高度経済成長社会だった。日本企業の時価総額は世界のランキングで上位を占め、その社会では経済成長を通じた豊かさの実現という目標が国民の間で共有されていた。

しかし、少子化と高齢化による人口動態の変化、デジタル化による産業構造の変化、消費者の選考や社会課題の多様化・複雑化というような、大きな環境変化によって、社会が未来を見通しづらくなっている。

そんな社会では、これまでのように国民の間で共有可能な目的を設定・維持することは難しい。このような社会では、共有されている目的を目指すのではなく、取り組むべき課題を自ら設定し未来を見据えて有効な解決策を創りだす力が必要であり、その力を育むための環境づくりとして、「未来の教室」が構想された。[82]

子どもたちのワクワクする気持ちを呼び覚ます

未来の教室は、3つの柱が掲げられている。『学びのSTEAM化』『学びの自立化・個別最適化』『新しい学習基盤づくり』だ。『学びのSTEAM化』とは、「創る」ために「知る」学びへと転換させるためのカリキュラムマネジメントのことを指す。

「創る」は、課題の発見やその解決策を見出し試行錯誤することを指す。自分で課題を設定して情報収集しながら自分なりに答えを生み出す「探究型学習」や「プロジェクト型学習」を通じて、そうした力を育む。

「知る」は、文理を問わず教科知識や専門知識を習得することだ。「学びのSTEAM化」という表現に含まれる「STEAM」は、STEM教育という、Science（科学）、Technology（技術）、Engineering（工学）、Mathematics（数学）の4分野を総称したものに加えて、Art（芸術・リベラルアーツ[83]）を加えた造語[84]であり、この言葉は文理融合的な知識を習得することを意味している。

この「創る」と「知る」を循環させつつ、一人ひとりの学習者のワクワクを呼び覚ますような学習環境を整備しようというのが、「学びのSTEAM化」である。
『学びの自立化・個別最適化』とは、一人ひとりの生徒の異なる個性を前提として、多様な学び方の選択肢を実現することを指す。

EdTechの活用によって、生徒の理解度や達成度をデータとして蓄積することができる。

そのデータをもとに、個々の生徒の「個別学習計画」を作成し、随時更新しながら、生徒に最適な学び方を模索していく。たとえば、テスト結果に応じてその生徒ごとに復習すべき単元を抽出したりすることができる[85]。

『新しい学習基盤づくり』とは、「学びのSTEAM化」と「学びの自立化・個別最適化」を実現するためのインフラ整備のことである。

たとえば、生徒一人ひとりにパソコンを支給したり、学校業務のデジタル化によって教師の業務負担を軽減したり、外部の専門家との連携を進めること等を通じて、新しい教育システムを形成していく。

これらの改革を通じて、これまでのように先生から一律の内容を一斉に行うような効率重視の受動的な学習から、生徒一人ひとりが個性を生かして能動的に課題を見出し挑戦するような学習へとシフトさせていくことが狙いだ。

ただし、取り組みにあたっては、各EdTech教材における個人情報や情報管理のリスクへの不安や、事前に教育効果を先生が判断しづらい、児童・生徒のリテラシー不足への懸念から過剰に利用制限をかけることで教材を組み合わせることができない等の指摘もある。そうした課題については、実践事例を広報・周知していくことなどによって、より多くの実践事例が生み出され試行錯誤がなされていくことの必要性が指摘されている[86]。

82 経済産業省.「『未来の教室』ビジョン」経済産業省「未来の教室」とEdTech研究会 第2次提言.
https://www.meti.go.jp/shingikai/mono_info_service/mirai_kyoshitsu/pdf/20190625_report.pdf

83 リベラル・アーツとは、専門職業教育としての技術の習得とは異なり、思考力・判断力のための一般的知識の提供や知的能力を発展させることを目標にする教育を指すもの
文部科学省.「用語解説」.
https://www.mext.go.jp/b_menu/shingi/chukyo/chukyo0/toushin/attach/1335601.htm

84 STEAM JAPAN.「STEAM教育って？」.
https://steam-japan.com/about/

85 未来の教室～ learning innovation ～.「学習ログを通じた公教育と民間教育の連携による個別最適学習の実現」.
https://www.learning-innovation.go.jp/verify/e0125/

86 経済産業省.「中間とりまとめ(案)」.
https://www.meti.go.jp/shingikai/sankoshin/shomu_ryutsu/kyoiku_innovation/pdf/004_02_01.pdf

政策名

授業目的公衆送信補償金制度

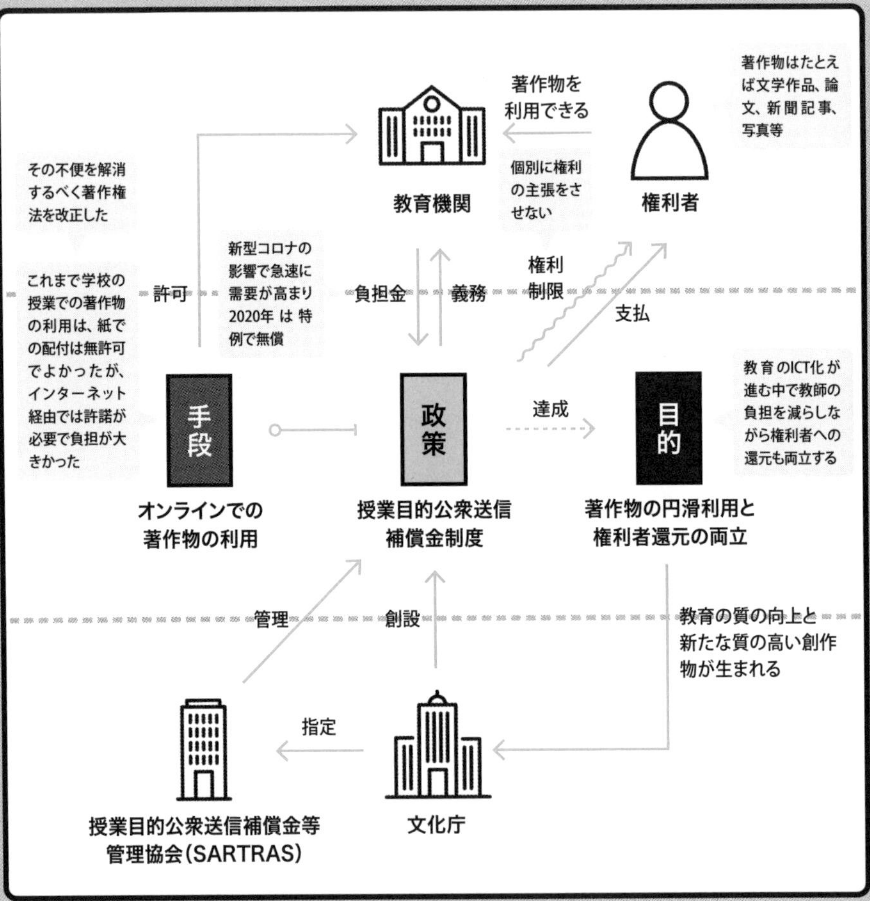

教育目的の著作物なら、その利用をオンラインでも認める制度

これまでオンラインで著作物を使うときには事前の申請が必要だった

授業目的公衆送信補償金制度は、**著作権に関する制度だ。**2018年５月に著作権法が改正されることで実現した制度である。

これまでの著作権法では、学校で対面授業をする際に、写真や音楽や新聞記事等の著作物を教育目的でコピーして使うといったことは個別に許可を得ることなく、無償で行うことができていた。また、同様に、対面授業を遠隔地（副会場）でリアルタイムに配信する（遠隔合同授業）ために著作物を「公衆送信」することも、許可なく無償でできた[87]。

しかし、**対面授業の予習復習のための資料をメールで送信することや、教員の前に生徒がいない状態でオンラインで授業を行う際に著作物を使い公衆送信をすることなどは、個別に許可が必要であった。**そうした背景があり、権利者がなかなか見つからなかったり、使用料を払う必要があったり、使用を断られたり、手続きが煩雑で授業に間に合わなかったりするなどの課題が出てきた。

2018年の法改正で、こうしたICTを活用した教育での著作物利用の円滑化を図るため、これまで認められていた遠隔合同授業以外での公衆送信についても、許諾なしで行うことが可能となった。

許諾はとるのが大変なので、かわりにまとめて別の団体が一括して払うしくみに

ただし、著作権者等の正当な利益の保護とのバランスを図る観

点から、利用にあたっては制度を利用する教育機関が、負担金を支払うことが必要となっている。

その負担金をまとめて管理し、著作権者に分配するための機関として、一般社団法人のSARTRAS[88]という団体が生まれた。SARTRASが権利のやり取りの窓口となることで、わざわざ著作物ごとに権利者とやり取りせずに、教育目的で著作物を許諾なしで使えるようになり、教育機関が負担金を支払うことで権利者にもちゃんとお金が分配されるようになったのだ。

当初この制度は2021年５月までの制度開始を目指しており、それまでに環境整備を行う予定だった。ところが、新型コロナウイルス感染拡大により、教育機関ではオンラインの授業を導入する必要に迫られてしまった。

そこで、著作権の問題をいち早くクリアするため、この新制度を、環境整備完了を待たずに前倒しすることになった。そうした背景もあり、オンラインでの著作物利用の需要が急激に高まることを考慮し、特例として、2020年度の負担金は無償となった。

なお、現在の規定では、授業目的公衆送信を行う教育機関の設置者が支払う負担金額（年額）は、１人あたり幼稚園が60円、小学校が120円、中学校が180円、高校が420円、大学が720円となっている[89]。オンラインでの授業が増えている中、教育をよりよくしつつ権利者を守る、双方のメリットを両立しようとするしくみである。

87 いずれの場合も著作権者の利益を不当に害する利用は対象外となる

88 SARTRASの正式名称は一般社団法人授業目的公衆送信補償金等管理協会

89 一般社団法人授業目的公衆送信補償金等管理協会.「授業目的公衆送信補償金規程」. https://sartras.or.jp/wp-content/uploads/hoshokinkitei.pdf

地域を支える

- ☑ 地域おこし協力隊
- ☑ ふるさと納税
- ☑ 地方交付税
- ☑ ODA（政府開発援助）
- ☑ 青年海外協力隊

地域おこし協力隊

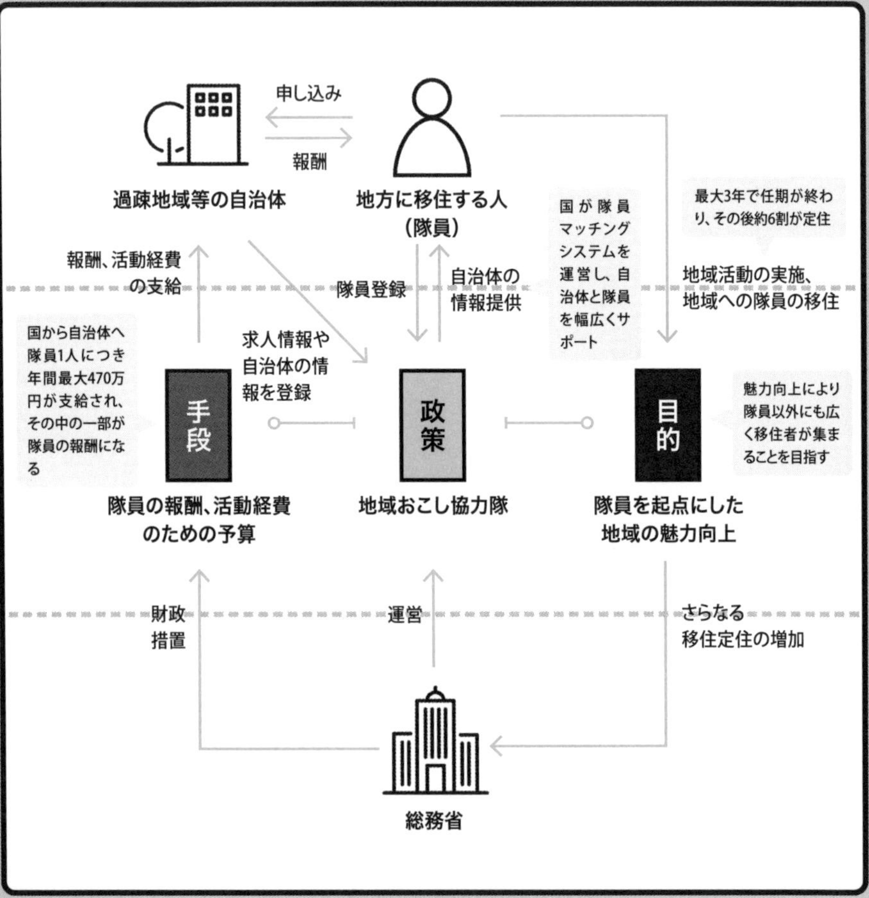

地方に地域課題に取り組む担い手を呼び込む

地域おこしの活動をして、報酬を受けとるしくみ

日本では東京への一極集中が進み、地方は人口減少・少子高齢化・過疎化によって、コミュニティの希薄化や担い手不足による産業の衰退など、さまざまな課題を抱えている。これらの地域は「課題先進地」とも言われている。

普通なら「地域に課題が多いと人が来ない」と考えるかもしれない。しかし、「地域に課題が多いからこそ人が来る」という考え方に転換するような政策がある。それが「地域おこし協力隊」制度だ。

地域おこし協力隊制度は、都市地域から過疎地域などに移住した隊員が、地域ブランドや地場産品の開発・販売・PRといった地域おこし支援や、農林水産業への従事、住民支援などの活動を行う。隊員はその地域の自治体から1～3年間程度、活動の実施を任せられ、報酬を受け取るしくみだ。

多くの地方はこのままだと将来消滅する可能性がある

なぜこのような政策が必要だったのか？　背景には、地方消滅に対する危機感があった。

「このまま推移すると、多くの地域は将来消滅するおそれがある」
「若年女性人口が2040年に5割以上減少する市町村は896（全体の49.8%）」[90]

こういった日本の地域の将来像への危機感を訴える報告書が

2014年に発表された。それまでも地方の人口減少について指摘するレポートはあったが、「消滅」という言葉を使うことでより強く警鐘が鳴らされたのである。

こうした議論もあり、同年、政府は地方創生に政府一体となって取り組むために「まち・ひと・しごと創生本部」を設立し、目指す姿を示す「長期ビジョン」と5か年の政策目標・施策を示す「総合戦略」を策定した。日本における地方創生政策が本格的にスタートしたのはこのタイミングだと言える。

厳密には、地域おこし協力隊自体は2009年から総務省によって制度化されていたが、2014年の総合戦略で農林水産省の類似政策「田舎で働き隊」と統合し、より強力に推進していくことになった。

この政策では、新たな視点やスキルを持つ熱意ある隊員を地域外から呼び込むことで、地域の魅力を向上させ、ひいてはその地域に関心を持つ人をさらに増やしていくことを目指している。

また、隊員がその地域に愛着を持って任期終了後も住み続けることも期待されている。実際に、2020年度末に総務省が実施した調査では、それまでに任期が終了した隊員約6,500人のうち、約6割の隊員が任期終了後にも同じ地域に定住したことが明らかになった[91]。

2020年度現在、隊員数は約5,500人、受け入れ自治体数は1,065団体まで拡大したが、政府はさらに2024年度までに隊員を8,000人に増やす目標を掲げている[92]。

また、魅力的な就職先が地域内には少ないが、前述した任期終了後に地域に定住する割合をさらに高めるため、そのため、起業・事業承継の経費補助やビジネスアワードの開催などの起業支援にも注力している。
「しごと」が「ひと」を呼び、「ひと」が「しごと」を呼び込み、「まち」に活力を取り戻す。当初イメージされていた好循環が、隊員たちの頑張りによって各地で実現しつつあるように見える。

90 日本創生会議.「ストップ少子化・地方元気戦略」. 平成26年, 2014.
http://www.policycouncil.jp/pdf/prop03/prop03.pdf

91 総務省.「令和2年度における地域おこし協力隊の隊員数について」. 令和3年, 2021.
https://www.soumu.go.jp/main_content/000740043.pdf

92 総務省.「地域おこし協力隊の拡充(6年後に8千人)」. 平成30年, 2018.
https://www.soumu.go.jp/main_content/000555575.pdf

政策名

ふるさと納税

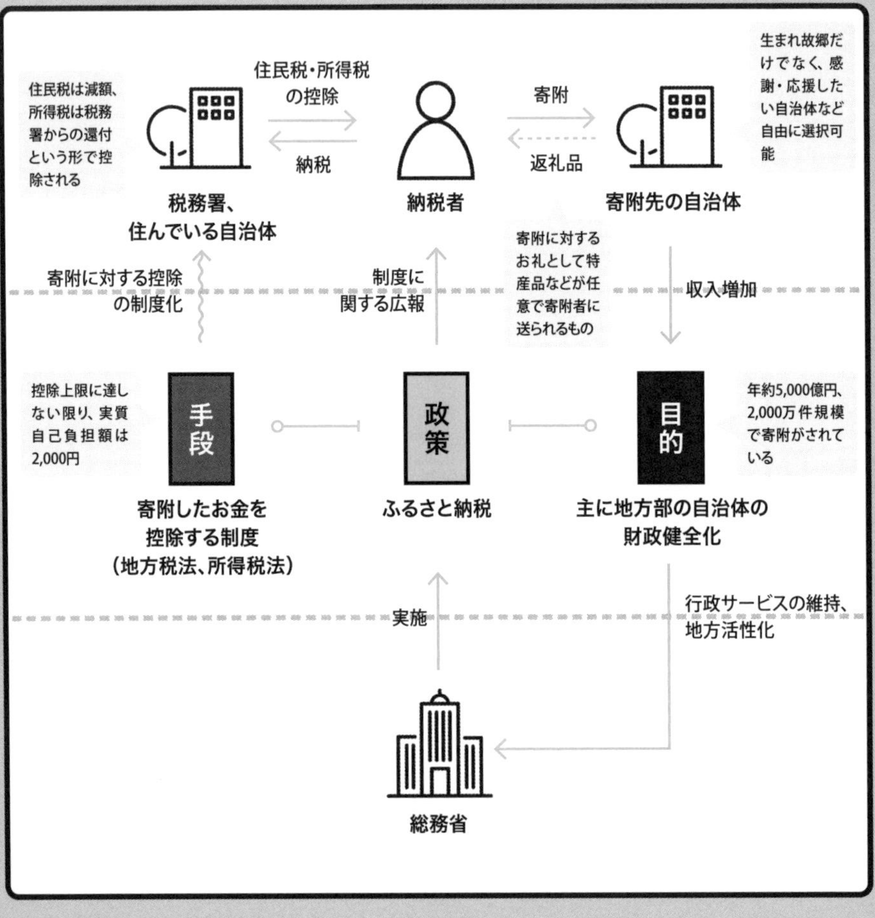

希望する自治体に寄附をして税金の控除を受けられる制度

地方の行政サービスの財源確保のために生まれた

普通なら“住んでいる地域だけに納める”税金を、“住んでいない地域にも納める”ことができるようにつくられたのが、ふるさと納税制度である。「その地域の特産品を買ったら、得するしくみだよね?」というようなイメージを持たれている方も多いかもしれない。

もともと、日本では「地域社会の会費」という考えに基づき、その地域の住民を支えるサービスはその地域の住民同士が協働で負担し合うものというしくみで運営されている[93]。住んでいる地域の自治体は、こうした負担を税金として徴収し、教育、福祉、消防、救急、ゴミ処理などの行政サービスの財源として利用している。

しかし、地方では大人になってから東京などの都市部に引っ越す人が多い。**これが長年続くと、地方では行政サービスの維持に必要な税金を十分に得ることができなくなってしまう。**そうした課題を解消するために、ふるさと納税の制度が生まれた。

自分が住む自治体に納める税金が、ほかの財源の少ない地域に行く

ふるさと納税は、次のようなしくみである。私たちが、ふるさと納税を行えば、現在住んでいる地域以外に寄附をするという扱いになる[94]。その寄附額のうち2,000円を超えた金額が、住んでいる地域に納める住民税や国に納める所得税から引かれる(控除される)。

たとえば、他の地域に２万円の寄附を行った場合、2,000円を引いた１万8,000円分の税金は減ることになるため、**実質的に2,000円を支払うだけでよい計算になる。**

その１万8,000円分はふるさと納税をした自治体に寄附したことになる。私たちが目的とする特産品などの返礼品は、寄附された自治体によるお礼という扱いである。現在、その返礼品を検索できるサイトが複数生まれたことにより、2,000円で特産品が気軽に検索できるお得なしくみとなっている。

最近では寄附獲得のために、創意工夫をしている自治体も多い。たとえば、食べ物や工芸品などの「モノ」だけではなく旅行や体験などの「コト」を返礼品にするケースや、クラウドファンディングのように自治体の取り組みに対して寄附を募るケースも増えてきている。

また、一定の条件を満たす納税者に対して、ふるさと納税の手続きを簡易化する「ワンストップ特例制度」もあり、制度の改善も図られている。[95]

こうした動きもあり、制度が始まった2008年度はふるさと納税制度による寄附額は81.4億円、寄附件数は5.4万件であったのが、2019年度にはそれぞれ4,875億円、2,333万件まで急成長した。2019年度に最も多く寄附を集めたのは大阪府泉佐野市で、約185億円、約30万件であった。[96]泉佐野市の同年度の一般会計予算が約539億円で、その３割程度を占めることからもふるさと納税の影響度の大きさがわかるだろう。

一方その成長の裏では、寄附獲得のために極端に高額な返礼品が用いられる問題や、自治体によっては住民がふるさと納税を積極的に活用したために税収が減少する問題も新たに生まれてきた。

前者に対しては、返礼品を寄附額の3割以下とするルールが2019年から定められた。また、2023年10月からは、経費の総額を寄附額の5割以下にするルールを厳格化することになった。後者については返礼品について含められるものの厳格化をしたり、税収が減少する問題に対応して、ホームページなどで問題提起をし、住民に向けてふるさと納税をしないよう呼びかけている自治体もある。こうした、本来の趣旨とは異なる状況を生まないためのしくみは今後も引き続き検討されていくべきだろう。

93 総務省.「地方税体系」.
https://www.soumu.go.jp/main_sosiki/jichi_zeisei/czaisei/czaisei_seido/149767_01.html

94 一般には「寄付」という漢字が使われることが多いが、法令や公用文書などで使用する場合は「寄附」という表記を使う

95 総務省.「ふるさと納税の流れ」.
https://www.soumu.go.jp/main_sosiki/jichi_zeisei/czaisei/czaisei_seido/furusato/mechanism/procedure.html

96 総務省.「ふるさと納税に関する現況調査結果(令和2年度実施)」. 令和2年, 2020.
https://www.soumu.go.jp/main_content/000701504.pdf

政策名

地方交付税

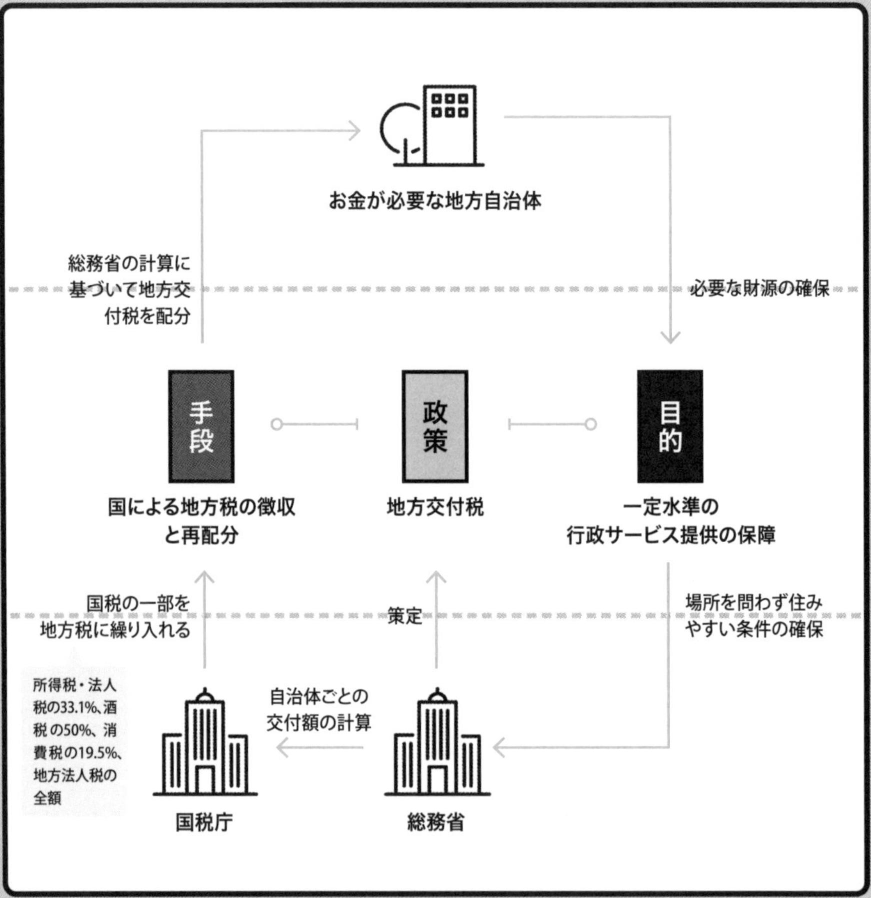

お金が足りない自治体へ、
国の税金を再分配する制度

地方交付税のおかげで どの地域でも均一なサービスを受けられる

地方交付税は、どの地方自治体でも最低限のサービスを提供できるように、国が税金の一部を自治体に分配する制度である。私たちが日々利用している公共サービスは、ごみの処理、消防、学校、道路など多岐にわたる。**これらのサービスを提供するためのお金は、もちろん地方自治体[97]が集める税金によっても賄われているが、それだけでは足りず、地方交付税によって賄われている。**もし地方交付税がなかったら、人口や産業が少ない地方自治体によっては、こうした必要不可欠な公共サービスを利用できなくなってしまう。

地方交付税は、自治体間の税収の格差を埋める「財政調整」と、どの自治体でも最低限のサービスを提供できるように財源を保障する「財政保障」のふたつの機能を持っている[98]。

地方交付税は、豊かな自治体はもらっていない

地方交付税には、「普通交付税」と「特別交付税」のふたつの種類がある。普通交付税は通常の経費で不足がある場合に配られ、特別交付税は災害などの特別の事情がある場合に交付される。なお、地方交付税をどう使うかは、各自治体に委ねられていて、国がその使い道を制限したり、条件を付与することは禁じられている[99]。

このような特徴から、地方交付税は「国が地方に代わって徴収する地方税」とも呼ばれる。

ただ、すべての自治体に交付税が分配されるわけではない。自治体が行いたいサービスの必要額[100]が、その自治体の基準となる税収[101]と比べて高い自治体へ分配される。つまり、分配される額は、行政サービスに必要な額が税収よりも高くなれば、そこでやっと分配が決められる[102]。

そのため、財政的に不利な自治体は多くお金をもらっている一方、十分なお金がある自治体（たとえば東京都や、ディズニーランドが立地する浦安市など）は不交付団体と呼ばれ、地方交付税をもらっていない[103]。

地方交付税の金額は以下のように計算されている。まず、自治体の財政計画から、税収（歳入という）と支出（歳出という）を見て、その差を明らかにする。その差を埋めるために、財源として、国の税金である、所得税・法人税の33.1%、酒税の50%、消費税の19.5%、地方法人税の全額を充てる。

しかし、この総額が、自治体の不足している金額に十分な額になるとは限らない。

そこで、不足している分に関しては、国が一般会計から加算したり（特例加算）、地方が一時的に借金（臨時財政対策債）をしたりして、国と地方の折半によって負担をする[104]。

つまり、税収が不足していても、自治体が公共サービスを提供できなくなることがないように、別の方法で補填するようになっている。2023年度の地方交付税の総額は、18兆3,611億円となっている[105]。

地方交付税は長い歴史の中で何度も改革を重ねた制度である

ものの、さまざまな問題が指摘される制度でもある。たとえば、地方交付税によって財源が保障されると、自治体が他力本願になり、結果として、税金の無駄遣いにつながるなど構造的な課題があるのではないかという指摘もある。

他国に目を向けると、米国のように地方交付税制度がないどころか、自治体間の税収の格差を埋めるような制度すらほとんどない国もある。地方分権も叫ばれる中、国と地方の関係性についても考慮しながら、今後の制度のあり方に注目する必要がある。

97 法令上は「地方団体」という呼称の方が正確だが、わかりやすさのため、あえて一般的によく使われる「地方自治体」ないし「自治体」という言葉を用いることとする

98 総務省.「地方財政制度　地方交付税」.
https://www.soumu.go.jp/main_sosiki/c-zaisei/kouhu.html

99 文部科学省.「地方交付税制度の概要」.
https://www.mext.go.jp/component/a_menu/education/detail/__icsFiles/afieldfile/2019/08/06/1316722_1_2.pdf

100 基準財政需要額という

101 基準財政収入額という

102 地方自治研究機構.「地方交付税制度の概要」. 令和5年, 2023.
http://www.rilg.or.jp/htdocs/uploads/protect/r5_yosan_koufuzeika_tuika.pdf

103 総務省.「令和4年度 不交付団体の状況」. 令和4年, 2022.
https://www.soumu.go.jp/main_content/000826808.pdf

104 財務省.「令和3年度 地方財政対策について」. 令和3年, 2021.
https://www.mof.go.jp/public_relations/finance/202103/202103e.html

105 総務省.「令和5年度地方財政計画の概要」. 令和5年, 2023.
https://www.soumu.go.jp/main_content/000859596.pdf

政策名

ODA（政府開発援助）

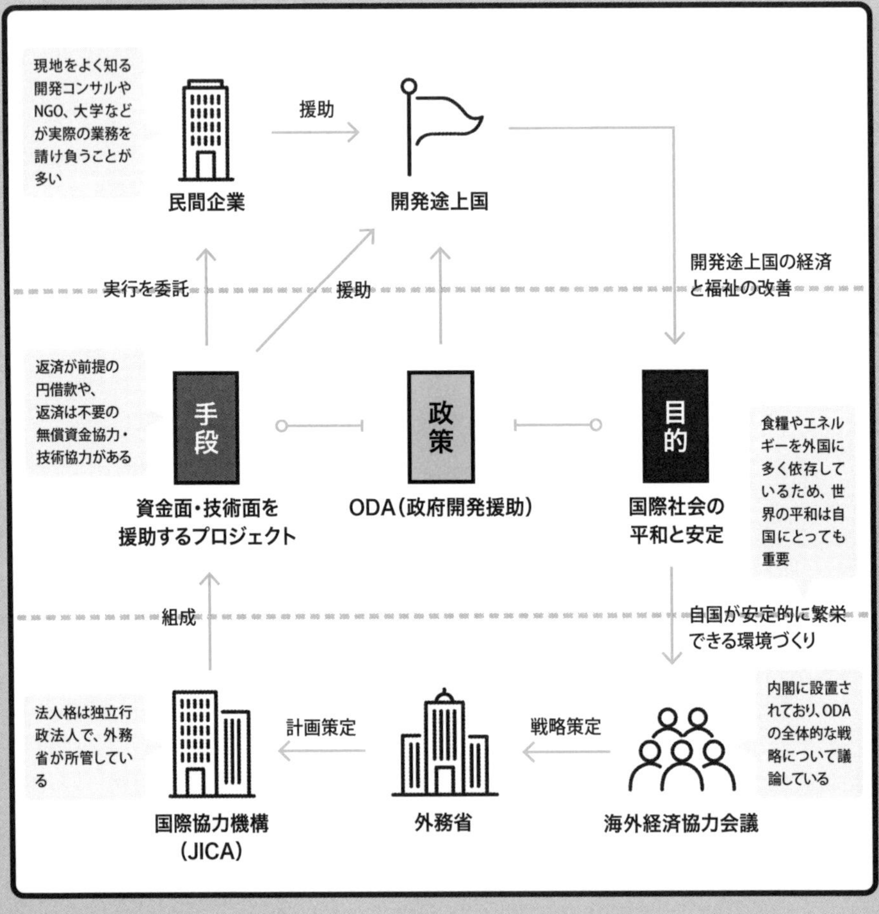

先進国による
開発途上国への経済支援

途上国への協力は
インフラの整備に投じられることが多い

ODA（Official Development Assistance）とは、開発途上国の経済発展や福祉の向上のために、先進国の政府や政府関係機関が行う国際協力活動のことだ。日本語では「政府開発援助」と記される。

日本が実施しているODAには、「多国間援助」と「二国間援助」の2種類がある。「多国間援助」とは、UNICEF（国連児童基金）、WFP（国際連合世界食糧計画）、アジア開発銀行などの国際機関に対する拠出を通じて間接的に支援することで、「二国間援助」とは、開発途上国を直接支援することである。

二国間援助は、資金協力と技術協力による支援を行っている。

資金協力は、インフラの整備に投じられることが多い。たとえば、交通混雑と公害が深刻であったインドでは地下鉄や高速道路の建設費用の一部を支援したり、医療サービスの改善が課題であったベトナムでは病院の建設を支援している[106]。

一方、**技術協力は教育や農林水産業の支援、環境保護なども含め、より広いテーマに分散している**[107]。初等教育の修了率や学力不足に課題のあるバングラデシュでは、小学校の理数科教育強化のために日本の専門家がカリキュラム・教材改訂に向けたアドバイスをしている。また、タンザニアなどアフリカ数か国では、日本の専門家の指導のもと、米づくりや農業支援が行われている[108]。

こうした支援はどのように実行されているのだろうか。二国間援助の場合だと、日本が計画策定から実行までを担うため、複数のプレイヤーで分担しながら進めている。

具体的には、内閣に設置されている海外経済協力会議がODAの全体的な戦略や方向を決めたのち、外務省などの関係省庁が国・地域・分野ごとにODAの政策を企画・立案し、国別援助計画などをまとめる。

この計画をもとに、独立行政法人国際協力機構（JICA）が具体的なプロジェクトにし、現地をよく知る開発コンサル・NGO・大学などとも連携しながら、開発途上国で実行していく。

開発途上国を援助する理由とはなにか

ではなぜここまでして開発途上国を援助するのだろうか？　それは、過去に「自分たちの経済だけを守ろう」と世界中が対立し合って戦争を招いた歴史的な経験を繰り返さないためである。

1929年の世界恐慌後、当時の各主要国が自国を中心としたいくつかの国でグループをつくり、その中での貿易で経済を回し、グループの外にある他国を高関税等の輸入制限で閉め出すような経済圏をつくったことで国家間の対立が深まり、第二次世界大戦を招いた。第二次世界大戦によって、世界経済はさらに混乱に巻き込まれ、疲弊していった。

この反省を踏まえ、1940年代には複数の国際金融機関が設立されるなど、世界経済の安定や復興を目指す体制がつくられた。

その後欧米諸国は経済を回復させることができたが、一方で先進国と開発途上国の経済格差が指摘されるようになり、先進国による開発途上国への援助活動が生まれ始めた。

国家間の結びつきが強まった現在では、単に格差解消を目的とするだけでなく、資源や食料を世界から安定的に輸入できる環境づくりのために支援をしたり（経済的理由）、世界規模で広がる感染症などの問題に対処するために支援をする（社会的理由）等の理由から、開発途上国を援助する必要性が高まっている。

また、日本も、ODAを通じて援助された経験を持つ。第二次世界大戦で敗戦した後、日本にはアメリカをはじめ世界各国から食料や衣料などの援助物資が届けられた。こうして得た資金は鉄道・高速道路・電力など、戦後の日本の経済発展を支えるインフラ整備に活用された。

1954年にはODAのための国際組織に加盟し、戦争の賠償を支払いながら、並行してODAを行うようになった。日本の高度経済成長とともにODAは倍増傾向となり、1989年にはODAの金額でアメリカを抜き、世界第1位になったこともあった。[109] 近年もODAへの支出は増加傾向にあるものの、米国やドイツではさらに急増しており、日本は第3位である。[110]

世界では、ウクライナでの戦争などの国際秩序を乱す動きや、感染症を含む保健課題や環境問題が深刻化している。こうした変化を踏まえて、外務省を中心に、ODAの基本方針（「開発協力大綱」）の改訂が閣議決定された。[111]

ビジネスにおいても世界とのつながりが強まっている現代だから

こそ、開発途上国を含めた海外の情勢や、それに対する日本政府の動きは知っておきたい。

106 独立行政法人 国際協力機構.「プロジェクト紹介」.
https://www.jica.go.jp/activities/schemes/finance_co/about/overview/project.html

107 外務省.「開発協力白書 日本の国際協力」. 2021年版. https://www.mofa.go.jp/mofaj/gaiko/oda/files/100353373.pdf

108 外務省.「日本のODA（事例紹介）」. https://www.mofa.go.jp/mofaj/gaiko/oda/sanka/kyouiku/kaihatsu/chikyu/international_society/cooperation/oda/oda03.html

109 外務省.「『未来への投資』としてのODA　～　国際協力60周年」.
https://www.mofa.go.jp/mofaj/press/pr/wakaru/topics/vol116/index.html

110 外務省.「OECD/DACにおけるODA実績」.
https://www.mofa.go.jp/mofaj/gaiko/oda/shiryo/jisseki.html

111 外務省.「開発協力大綱の改定に関する閣議決定」.
https://www.mofa.go.jp/mofaj/press/release/press7_000038.html

政策名

青年海外協力隊

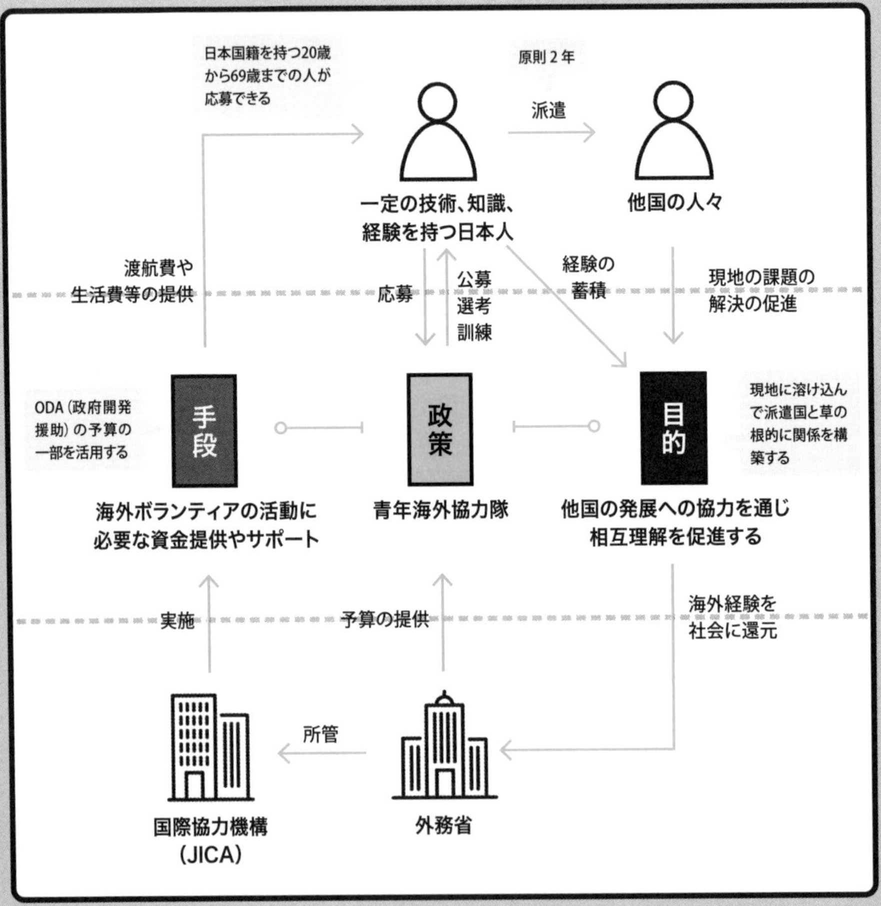

ボランティアを海外に派遣し、その国の課題の解決に貢献する

開発途上国への援助はもちろん、現場レベルでの異文化交流も目指す

青年海外協力隊は、外務省の所管であるJICAが実施するボランティア事業である[112]。日本政府のODAの一環として行われる。

主には、産業・福祉・教育など特定の分野で技術・知識・経験を持つ人材を現地に派遣する。隊員は原則として2年間、現地に滞在し、配属先の組織やコミュニティにおいて課題の解決、環境の改善に向けた活動を行う。この事業の目的は、開発途上国の経済・社会の発展だけでなく、異文化社会で深く相互理解し、その経験を日本社会に還元することも含まれる。

青年海外協力隊事業は、まず、開発途上国政府からの「日本からボランティアを派遣してほしい」という要請（ニーズ）を受けて計画される。その要請に基づき、JICAが日本国内で、人材の募集を行う。要請に基づいた技術・知識・経験を持ち、「開発途上国の経済・社会の発展のために生かしたい」と望む人材の選考・訓練を経て派遣される。その事業予算はODAの一環として外務省から出る。

募集は年2回行われる。派遣される国や職種もさまざまだ。派遣国は広くアジア、アフリカ、中東、中南米、大洋州、東欧にわたる。職種には「コミュニティ開発」「野菜栽培」「自動車整備」「観光」など途上国の経済活動の推進に寄与するもの、「小学校教育」「看護師」「栄養士」など教育や社会サービスの提供に寄与するもの、「青少年活動」「音楽」「柔道」「服飾」など文化活動の発展に寄与するものなどがある。

日本のボランティア事業は1965年に遡り、1974年に国際協力の実施機関としてJICAが発足して以降、「青年海外協力隊」という名称が用いられるようになった。発足以来50年以上の歴史を持ち、アジア、アフリカ、中東、中南米、大洋州、東欧の100か国近くの発展途上国に対し、のべ4.5万人以上の隊員を派遣してきた[113]。

JICAが行う草の根レベルの国際協力の代表的な事業として広く認知され、途上国政府から高く評価されている。近年はいわゆる「内向き志向」の広がりや、帰国後のキャリアに対する不安から応募人数が減少傾向にあることが課題である。応募のハードルを下げるため企業や学校に勤めている人が、仕事を一時的に休職してボランティア事業に参加し、派遣先から日本への帰国後にそのまま職場復帰できる「現職参加」という制度などもある。さらに、ボランティアに参加して得た知識や経験を国内外で生かし、社会還元することを目的に「帰国隊員奨学金事業」の設立、協力隊合格者のうち希望者を対象に地方自治体などが実施する地方創生活動に参加する機会を提供する「グローカルプログラム」の開始など、新たな試みも始まっている。帰国後に隊員がボランティアの経験を生かし、国際協力や日本国内の多文化共生・地方創生の場で、貴重な人材としてより一層活躍できるような支援の拡充が進められている。

112 もともとは年齢に基づいて「青年海外協力隊」と「シニアボランティア」と呼び方が分かれていたが、現在は15年以上の経験を応募要件とするものを「シニアボランティア」、それ以外を「青年海外協力隊」と呼び、それらの総称を「JICA海外協力隊」としている

113 累計派遣人数は2022年3月末で、98か国に対して5万4,772人。ただしシニアボランティアを含む
JICA海外協力隊.「応募サポートページ」.
https://www.jica.go.jp/volunteer/support/index.html

健康・医療 を支える

- ☑ セルフメディケーション税制
- ☑ インセンティブ交付金
- ☑ 介護保険制度
- ☑ 国民皆保険制度
- ☑ 健康経営銘柄

政策名

セルフメディケーション税制

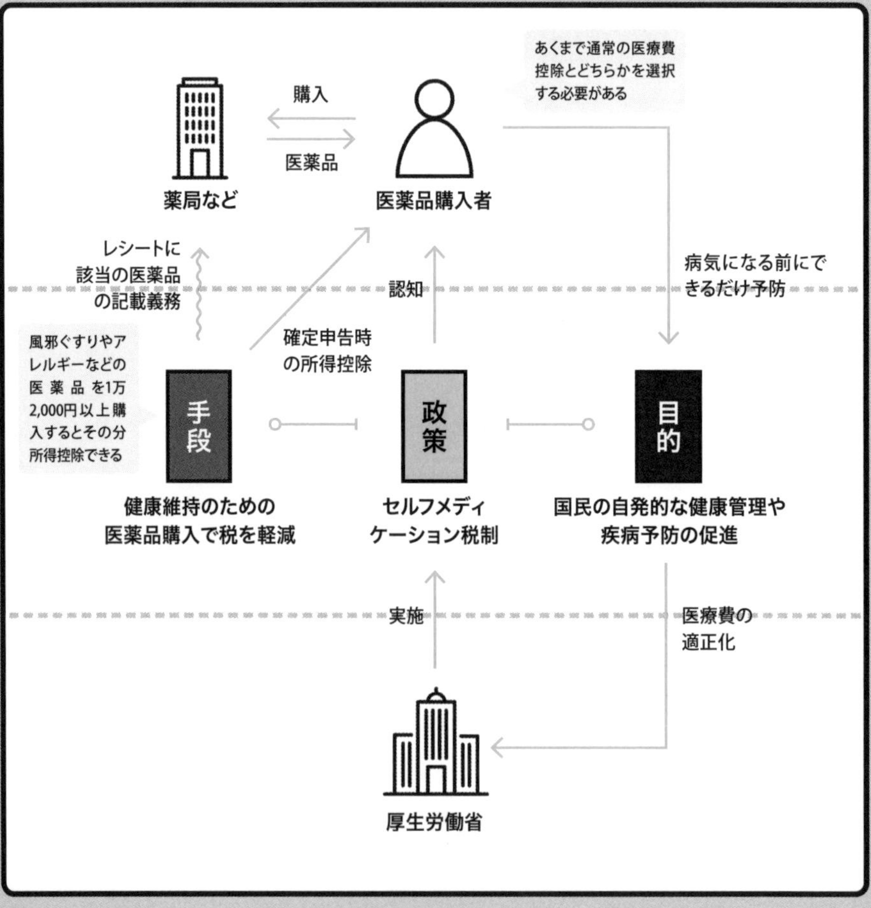

自分の健康にも気を使えて、税金も減る

市販の薬を買うと、医療費が安くなるしくみ

セルフメディケーション税制とは、健康維持のための医薬品を購入した場合に、所得から控除され、税金が安くなるというしくみである。

そもそもセルフメディケーションとは、世界保健機関（WHO）による定義では、「自分自身の健康に責任をもち、軽度な不調は自分で手当てすること」とされている。この考え方に従い、市販薬（一般用医薬品）を購入して、自分の健康を維持すると税金が控除される制度をつくることで、市販薬の積極的活用を促し、病院への受診回数を減らして医療費を抑制しようという目的も兼ねている。

現在の日本の大きな問題は、年金、医療、福祉など社会保障関係費が大きくなっていることだ。原因は社会の高齢化である。

国の財政が苦しい原因である「国民医療費」の負担を軽くするための政策

2019年度の国民医療費は44兆3,895億円であり、年齢階級別にみると65歳以上で27兆629億円と、6割以上を占めている。医療費は国民皆保険制度や国庫負担によってその大部分が賄われており、一般的な自己負担は総額の3割だ。さらに、一定以上の年収がある場合を除き、高齢者の自己負担割合は更に低く、一層財政を圧迫している。

このように、大きな負担になっている医療費の負担を少なくしようとしている政策のひとつがこのセルフメディケーション税制である。

具体的なしくみとしては、風邪薬やアレルギーなどの医薬品を世帯合計で年間1万2,000円以上購入すると、確定申告の際に控除ができるようになる。これは、医療費控除の特例として行える。

すべての医薬品が対象となる訳ではなく、医師による処方箋を必要とせずに購入できる市販薬のうち、厚生労働省のWebサイトに掲載されているものが対象となる。2022年1月にはかぜの諸症状、アレルギーの諸症状、腰痛・関節痛・肩こりの医薬品が対象に加えられ、たとえば花粉症の薬なども含まれている。

制度を利用するにあたっては、利用者が控除を申請するにはレシートを保存しておく必要がある。レシートの保存に加えて、予防接種や健康診断の受診など健康のために一定の取り組みを行っていることも必要で、その領収書または結果通知表も保存していないと控除を受けられない。ちなみに、薬局など医薬品販売店にはレシートに該当する医薬品の記載義務が課されている。

また、医療費控除の特例という扱いであるため、医療費控除とセルフメディケーション税制を併用することはできない。両者の差額を比べてより大きい方を控除できる。また、セルフメディケーション税制は、医療費控除と同様、年末調整で行うことができないため、会社員であっても確定申告をしなければならない。

セルフメディケーション税制は2017年から開始され、2022年1月には5年の延長が決定されたが、控除額の低さと確定申告が大きな壁となっている。個人事業主など確定申告に慣れている人ならともかく、会社員など確定申告に慣れていない人にとっては提出作業が大きな負担だ。しかし、近年は多くの会社で副業が解禁されるようになり、会社員であっても確定申告を必要とする人が増えているので、そうした際に薬局や病院でのレシートを保存し、セルフメディケーション税制の申告要件を満たしていたら、申告すべきである。確定申告が必要な人もそうでない人もこれを機に自身の健康維持と手軽な節税方法のひとつとして覚えておいて損はないだろう。

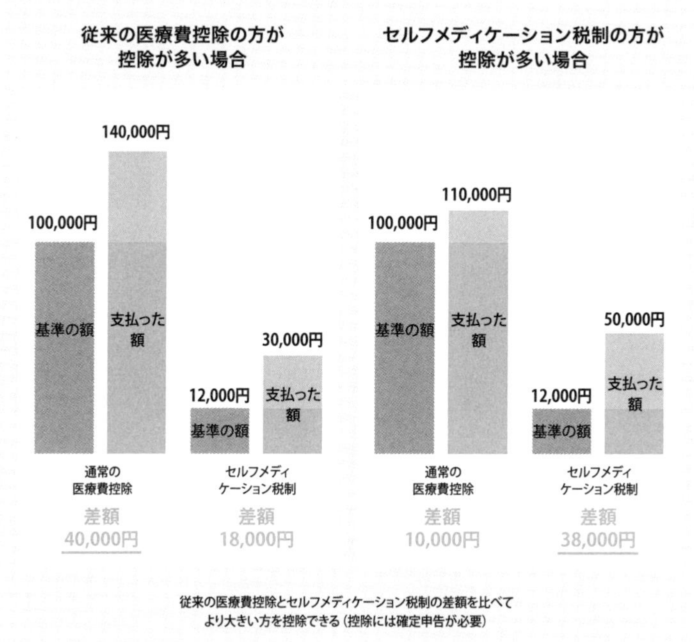

［図］セルフメディケーション税制の控除の考え方

政策名

インセンティブ交付金

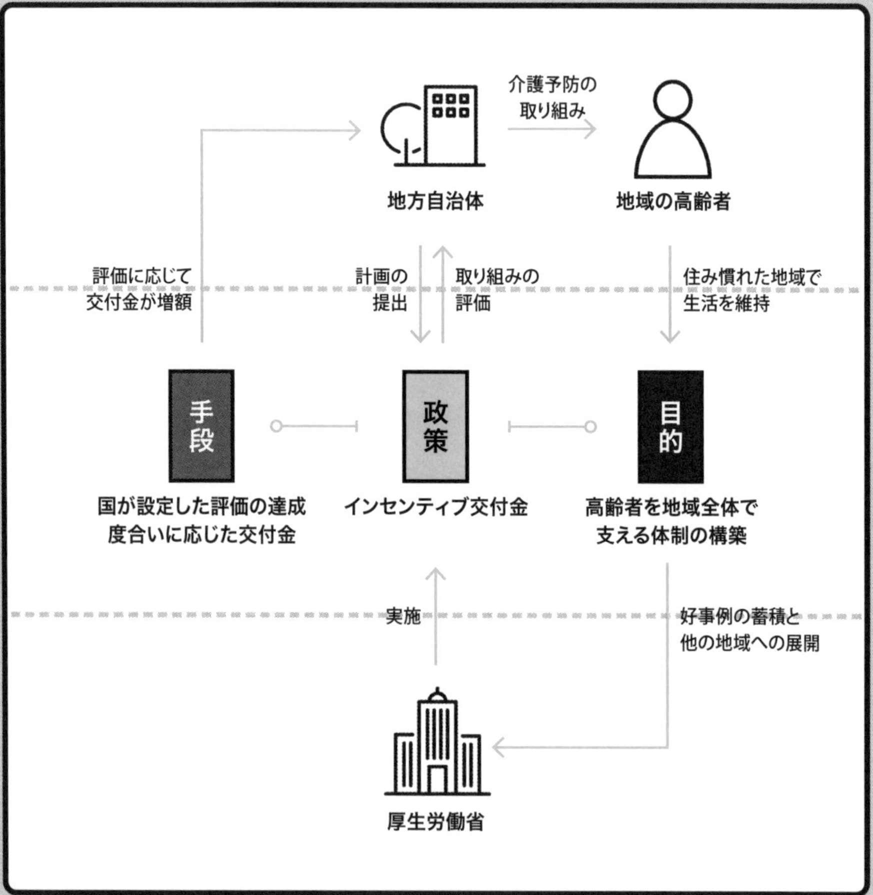

市町村が、高齢者の介護などに
取り組むための交付金

市町村に、地域の高齢者の福祉に積極的に取り組んでもらうための政策

インセンティブ交付金は、地域の高齢者がより自立した生活を送れるよう、各自治体の積極的な取り組みを評価し、それに応じて政府が交付金を支給する制度である。

つまり、高齢者を地域全体で支えようとすることにメリットを与えようというしくみだ。

この制度の特徴は、客観的な指標に基づいて各自治体の取り組みを評価し、その結果を都道府県別に公開することだ。

たとえば、「高齢者が利用する公共施設のバリアフリー化の進捗度」や「地域内の高齢者向け健康教室の開催頻度」などが指標として挙げられる。

これにより、どの地域がどの程度の支援を行っているかが一目でわかるようになっている。各自治体はさらに取り組みを強化し、高齢者の福祉の向上を図ることが期待される。

インセンティブ交付金は、「保険者機能強化推進交付金」と「介護保険保険者努力支援交付金」のふたつから成り立っている。

これらの交付金は、高齢者の自立支援や介護予防、重度化防止に焦点を当てた取り組みを推進するためにつくられたもので、2022年度予算ではそれぞれ200億円が計上されている。

これにより、各自治体はさらに資金を得て、高齢者の生活の質向上に向けたプロジェクトやプログラムを展開できる。

国と地域の縦割りにより、小回りが利かないことを解消するためにつくられた

この制度が導入された背景には、国と地方の役割が明確に分かれ、地方自治体が自らの判断と責任で、地域の実情に沿った行政を展開し、地域包括ケアシステムの構築を進めることが求められたことがある。

しかし、多くの地方自治体では財政が厳しく、新しい取り組みにお金を出しにくかった。そこで、国がお金を出すことで、地方自治体の取り組みを助け、地域包括ケアシステムの構築を進めやすくしたのである。

また、一部の自治体では、いい事例が厚生労働省によってまとめられているものの、具体的な成果に基づく効果の検証が十分でなく、評価に偏りが生じることが考えられる。

これらの課題に対しては、今後の改善が期待され、制度がより一層の目的達成に寄与することが望まれる。

この制度があることで、自治体が自主的に高齢者支援の取り組みを進めるインセンティブを与え、地域全体の高齢者福祉が向上していくだろうと期待される。

また、公開される評価結果を通じて、市民も自治体の取り組みを知ることができ、地域の福祉向上に対する意識が高まっていく。

これにより、地域社会全体が一体となって、高齢者の生活の質の向上に取り組むことができるのである。

政策名

介護保険制度

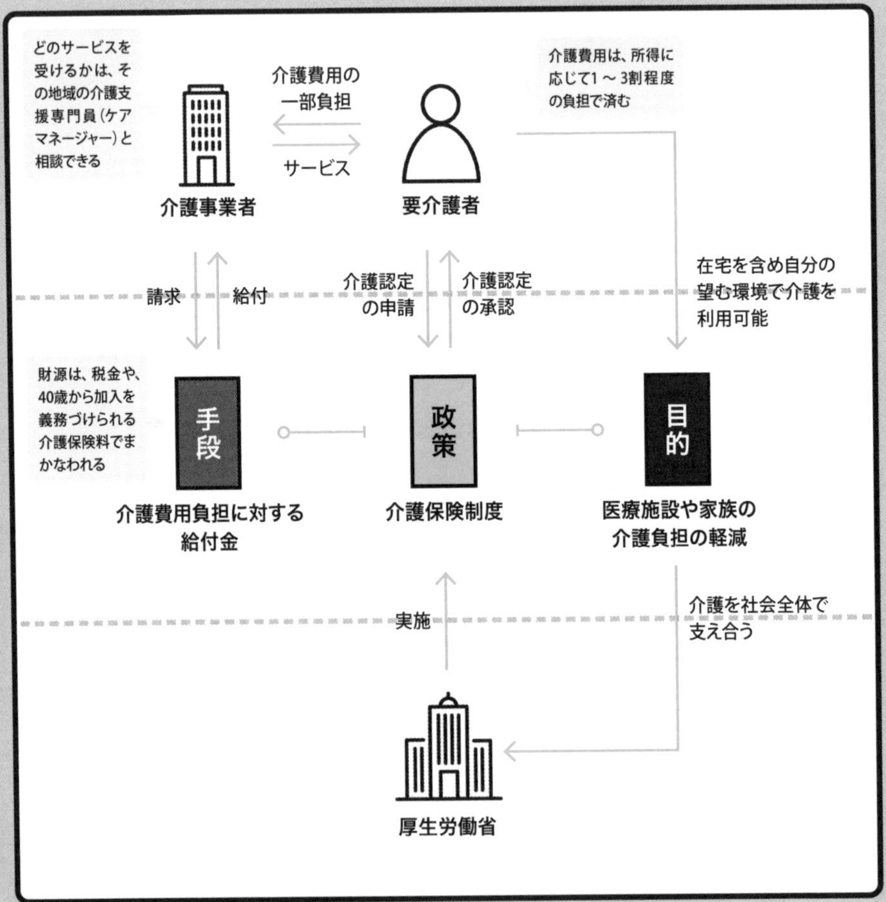

介護が必要な人に、
その費用を給付する制度

家族内での介護が負担になる現代に、高齢者を社会全体で支えるしくみ

介護保険制度は高齢者の介護を社会全体で支え合うためのしくみだ。介護が必要になっても尊厳を保ちながら暮らし続けることができるよう、介護を必要とする人に費用が給付されるというもので、これにより適切なサービスを受けることができる。

40歳になると、私たちは自動的に介護保険に加入することになっている。そして65歳以上になって介護が必要であると認定されたら介護保険を利用できるほか、**40〜64歳の人でも加齢による特定の病気が原因で介護が必要になった場合は介護保険サービスを受けられる[114]。**

現在は約697万人（2022年９月時点）の方が要介護認定を受けており、介護を必要とする方にとって必要不可欠な制度になっている。

従来、介護は家族や周囲の人たちによって担われてきた。しかし、平均寿命の延びに伴う介護期間の長期化や、介護を必要とする方が重度化するケースの増加などによって、介護ニーズが拡大していった。

また、介護をする側の事情も変化した。核家族化の進行や、介護する家族も高齢であるケース（いわゆる老老介護）の増加など、介護をする人・される人の双方で従来とは異なる事情が生じるようになった。こうした状況を踏まえ、高齢者を社会全体で支えられるようにとシフトする形で、1997年に介護保険法が成立した。

サービスは全国一律の基準でされる

介護保険制度には大きく３つの考え方がある。

ひとつ目が自立支援だ。介護のみならず、その先に高齢者の自立を支援するという理念である。

ふたつ目が利用者本位という視点だ。利用者がさまざまな選択肢の中から保健医療サービスや福祉サービスを選び、総合的に受けられるようにしている。

そして３つ目が社会保険方式である。40歳以上の国民は全員介護保険料を納めることになっており、介護が必要になると将来的に介護保険を利用することができる。給付と負担の関係が明確な方式と言える。

具体的に、どのようなサービスが受けられるのだろうか。

たとえば、ホームヘルパーが自宅に訪問し入浴のサポートなどを行うものであったり、施設に通うデイサービスなどが挙げられる。また、可能な限り在宅復帰できることを念頭に特別養護老人ホームなど施設で生活するというサービスもある。

実際に介護保険制度を利用するには、まず、利用者（またはその家族）は市町村窓口に要介護認定のための申請をすることになる。利用者がどれほどの介護を必要としているか把握することで、効果的なサービスの提供が期待される。

申請が受理されると、要介護度の認定調査が行われる。要介護度は介護の必要量に応じ5つの段階に区分されており、全国一律の基準で客観的に判定される。要介護認定を受けると、ケアプランを作成し、ケアプランに基づいた居宅サービスや施設サービスを利用することができる。

また、介護サービスは、所得に応じ1割から3割の自己負担で利用することができる。利用者は自己負担分をサービス事業者に支払い、残りの分は市町村（保険者）がカバーするしくみになっている。

介護保険制度はたびたび改正されており、2006年の改正では予防重視型のシステムへの転換が目指された。軽度者が要介護状態になることを予防できるよう、予防給付型のサービスが実施されるようになり、介護予防を重視するようになった。

自分らしく老いていけるためのシステム

また、社会参加・社会的役割を持つことが生きがいや介護予防につながることを踏まえ、地域包括ケアシステムの構築が目指された。

介護を必要とする人が住み慣れた地域で安心して介護を受け、自分らしい暮らしを実現するため、地域や自治体が主体となって、包括的に介護を必要とする人を支えていくためのシステムである。

このような地域主体の動きは加速しており、自治体には地域の特性を踏まえた地域包括ケアシステムをつくっていくことが期待される。

介護保険制度は、制度ができてから20年が経ち、介護保険サービスを受ける人数は当初より約3.3倍に増加している。高齢者数の増加・高齢化率の加速に伴い、今後介護保険サービスを利用する人が増えていくことは想像に難くない。こういった中で、介護保険の総費用も増加しており、給付と負担とのバランスが崩れつつある。

このような介護保険の財源不足に対し、介護予防の充実など、要介護レベルが重度になる前へのアプローチも実施されているが、抜本的な制度改正も必要となる時期に来ている。

また介護人材の不足も課題として指摘されている。厚生労働省によれば、現在は約190万人の方が介護の現場で活躍しているが、2025年には約245万人が必要とされる。この差分を埋めるため、介護人材の処遇改善なども実施されているが、介護人材の数を増やすだけでなく、並行して介護現場のICT化を進めるなど、多角的な解決策が期待される。

最後に、介護保険制度の目的に立ち戻ってみたい。

介護保険制度は、介護ニーズの拡大を踏まえ、社会全体で介護の役割を担うものであり、そこには、介護を必要とする方が重度な要介護状態となっても自分らしい暮らしを人生の最後まで続けることができるようにするという理念があった。

課題は山積しているが、常に中心にいるのは介護を必要とする方であり、誰もがその立場になることを忘れずに課題にチャレンジしていくことが求められている。

114 厚生労働省.「介護保険制度について」.
https://www.mhlw.go.jp/file/06-Seisakujouhou-12300000-Roukenkyoku/2gou_leaflet.pdf

国民皆保険制度

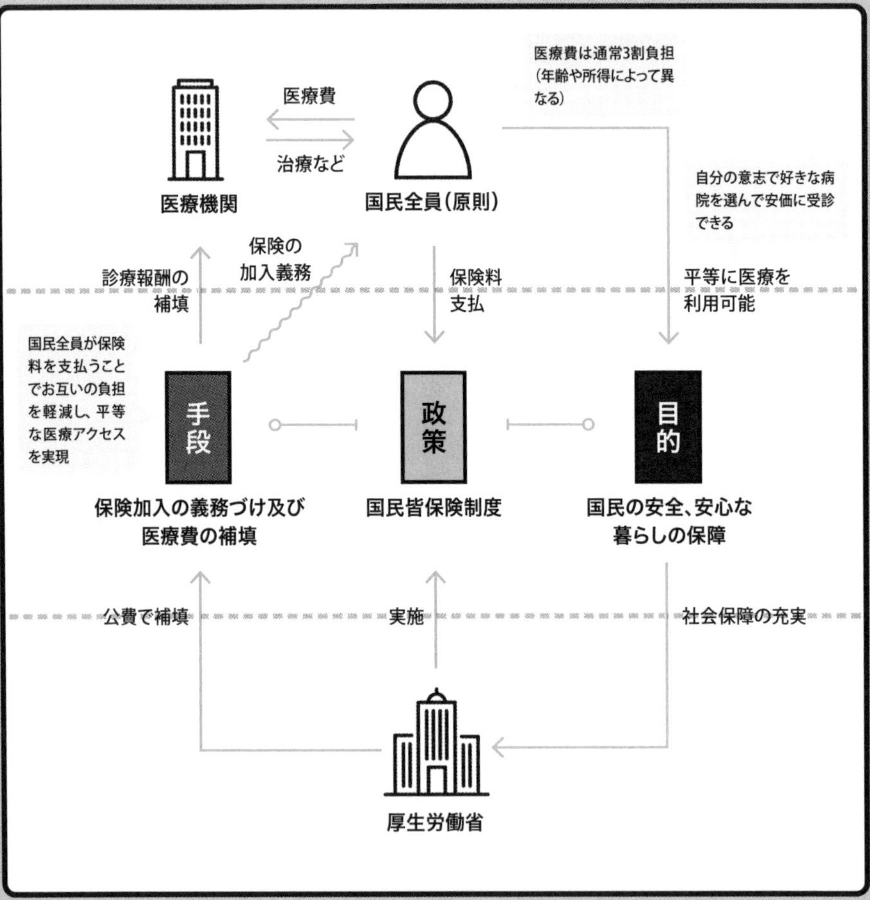

すべての人が保険に入れるセーフティネット

国民全員が安心して 医療を受けられるためにつくられた

国民皆保険制度とは、日本国民全員が加入する公的な医療保険制度のことである。**「皆保険」の言葉通り、私たちはみな公的医療保険に入ることが義務づけられている。**国民の全員が何かしらの保険に加入し、保険料を支払う必要があるのである。

公的医療保険は、その対象者によって大きく3つに分けられる。

・被用者保険：会社などに勤めている人が対象

・国民健康保険：農家やフリーランス、非正規雇用者、会社を退社した人などが対象

・後期高齢者医療保険制度：75歳以上の全員が対象

なお、保険料はそれぞれ異なる。これらの保険の種類によっても、また同じ種類の保険でも収入等によって違ってくる。ちなみに、被用者保険の場合は、加入者だけでなく事業者も保険料を折半で負担する。[115]

では、なぜそもそも国民全員を加入させることにしたのかというと、**国民一人ひとりの医療にかかる負担を分散するためだ。**国民全員が支払った保険料を財源とすることで（不足分は公費で賄う）、医療サービスを受けるときに必要なお金をみんなで負担し合っている。こうすることで、どんな人でも医療サービスが受けやすくなるよう、自己負担が大きくなりすぎないようになっているのだ。

具体的には、なにかの病気で医療費がかかったときに、支払うのは原則として3割だけで済む。残りの7割は、国民が支払っている保険料と税金によって賄われる。[116]

ここで重要なことは、国民全員が保険料を払うことによって、医療費の自己負担が少なくて済んでいることと、それによって国民は安心して医療サービスにアクセスしやすくなるというメリットが得られているということだ。

さらに、日本の医療保険のメリットはこれだけではない。**日本では、保険証があればどの医療機関や医師にも自由に診てもらうことができる。**これを「フリーアクセス」という。

これだけ安定して医療を受けられるのは日本だけ

これらの医療保険制度の特徴は、我々にとってはあたりまえに感じるかもしれない。しかし、実はこうした制度の特徴は日本特有のものである。海外を見てみると、医療保険制度はそれぞれの国によって異なる内容で設計・運用がなされている。

たとえば、イギリスでは、原則的に診療の自己負担がゼロの代わりに、医療機関を自由に選べず、決められた医師に受診しなければならない。アメリカでは、公的な医療保険に加入することを義務づけられている人が高齢者や低所得者に限られており、それ以外の人たちは民間の医療保険への加入が中心で、多くの人が高い医療費を支払っている。

こうした国ごとの違いがある中で、日本の医療保険制度は世界に高く評価されており、2000年には世界保健機関（WHO）から日本の医療保険制度は世界一と評価された[117]。

そもそもは著しい高度経済成長の裏に、大量にいた貧困層のためできた制度

ちなみに、現状の国民皆保険のしくみが実現したのは1961年。約60年前のことである。なぜ、国民皆保険が必要になったのか。それは、当時の日本の経済成長の背後で多くの国民が経済的に不安定な状態にさらされていたからだ。ここでいう経済的に不安定な状態とは、労働条件が厳しく生活の保障もなかったような状態のことを指す。当時の日本の状況を見ながら説明していこう。

時をさかのぼり1950年代、日本は経済の成長が著しかった。1955年には、GNPの伸びは12.1%を記録し、多くの経済指標が戦前の水準を超えた。56年の『経済白書』では「もはや『戦後』ではない」と表現され、それが流行語となったほどだった。

これだけ経済成長が著しい一方で、依然として多くの国民の生活水準は低かった。具体的にどのような状況だったかというと、56年の『厚生白書』において、生活保護すれすれの状態にある約1,000万人の貧困層が成長の背後に取り残されていることが指摘されるほどだ。ちなみに、その56年の『厚生白書』においては、先の『経済白書』のポジティブな文言と対照的に、「果して『戦後』は終ったか」という、当時の国民の多くが置かれている状況を懸念する文言が記された。

また、大企業の労働者と、中小零細企業の労働者や不安定就労者等の間で、労働条件などの格差があったことも指摘しておくべきだろう。これは、経済成長の恩恵を受けられていたのは一部の国民だけであり、未だに多くの国民がその恩恵にあずかっていなかったことを意味する。[118]

さらに、多くの国民が保険に未加入だった。1956年時点で、日本の人口の約３分の１の約3,000万人が医療保険に未加入の状態だったという。これらの保険に未加入の人たちは、病気や老後の生活不安にさらされていた。[119]

これらの状況をまとめると、経済成長の背後では、多くの国民が労働条件が厳しい上にいざというときの保障もない状況におかれていたということが言えるだろう。この状況を改善するには、単に雇用条件を改善するというだけでなく、社会保障での対応が必要なのではないか、という気運が高まり、50年代中頃から、国民皆保険が求められるようになったのである。

こうした経緯を経て、1958年に新しい「国民健康保険法」が制定され、３年間の猶予期間の間に保険制度が全国民に行き渡り、1961年に現在の「国民皆保険」が実現されることとなった。

高齢化により財源の確保が厳しく、再設計をせざるを得ないと言われる

そんな国民皆保険制度だが、今のままでは継続させることが難しいのではないか、という声も聞かれている。その理由は財政の収支バランスが悪化していることだ。

まず、支出としての医療費が増えている。その主な要因としては、高齢者人口の増加と医療技術の大変な進歩があるだろう。高齢者は健康に問題を抱えて医療サービスを受ける機会が多くなり、人口に占める高齢者の割合が多くなれば、医療サービスのニーズは増えていく。また、医療技術が高度化すると、国民の健康を増進できる一方で、医療サービスの単価も高くなる。一方、収入としての保険料が減っている。

その背景には、経済の低成長と労働人口の減少が続いていることがある。国民皆保険制度ができた1961年は、日本は経済的に成長し、雇用も安定していた。そのうえ、若者も多かったため、保険料が充分に確保できた。

しかし、1990年代にバブルが崩壊して以降、日本の経済が不安定になり、労働者人口も減ったことで保険料収入が減ってしまっている。つまり、支出は伸びているが収入が減っていて、赤字が拡大しているのだ。そのような課題から、今の制度をこのまま持続させていくことはできないのではないかと懸念が示されている[120]。

日本国民全員の生活に大きく関わる保険制度。これからも国民の生活水準を保つために、どのような制度が必要なのか。仮に国民皆保険制度を維持するのであれば、持続的な制度とするために、どのように制度の在り方を再設計するべきか、議論をする必要があるだろう。

115 日本医師会.「日本の医療保険制度の仕組み」.
https://www.med.or.jp/people/info/kaifo/system/

116 ※なお、負担額は年齢や所得、各自治体に応じて異なる。基本的には以下の通りである。
・小学生未満：2割負担
・小学校入学～ 69歳まで：3割負担
・70歳以上：2割負担
・75歳以上：1割負担
なお、70歳以上の人でも、現役並みに所得がある人は3割負担になることもある。

117 健康保険組合連合会.「実は恵まれている！日本の国民皆保険制度」.
https://www.kenporen.com/health-insurance/basic/01.shtml

118 土田武史.「国民皆保険50年の軌跡」
https://www.ipss.go.jp/syoushika/bunken/data/pdf/19613904.pdf

119 日本医師会.「国民皆保険の歴史」.
https://www.med.or.jp/people/info/kaifo/history/

120 ドクタラーゼ.「医療保険が直面する問題(前編)」.
https://www.med.or.jp/doctor-ase/vol2/2page_09.html

政策名

健康経営銘柄

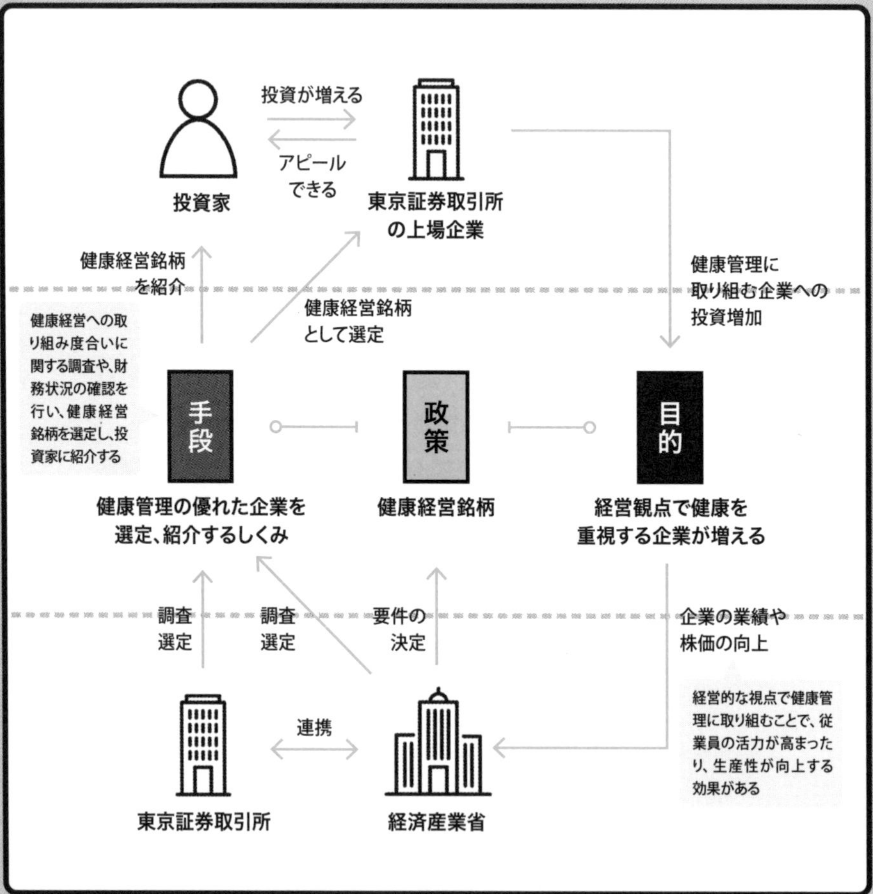

経済をよくするために、会社員の健康を守る

従業員の健康を守れば、
社会の経済全体もうまくいくという発想で生まれた

健康経営とは、従業員等の健康管理を戦略的に実行することである。この健康経営銘柄という政策は、健康経営を行う上場企業の中から、特に優れた企業を選定し、投資家に向けて紹介する取り組みのことだ[121]。

企業の経営と従業員の健康は一見、遠い存在のように思える。それがなぜ組み合わされているのか？　そしてなぜ国が政策として推進しているのだろうか？

背景には、日本で急激に進んでいる少子高齢化の問題がある。**人口に占める高齢者の割合が上がるほど、医療や介護の需要が増え、国の財政を圧迫し、医療や介護を今まで通り受けられなくなる恐れがある。**そのため、国民ひとりひとりが健康意識を高め、健康寿命を伸ばすことが必要だ。

また、企業にとっても、従業員の健康を維持することは、人材が活躍でき、しかも保険料を抑えられることになり、利益にもつながるものだ。しかし、昔はそういった意識が経営者に浸透しておらず、健康経営の取り組みは少なかった。

こうした問題意識から、従業員の健康管理に企業が取り組むモチベーションを生むべく、2014年に発表された『日本再興戦略改訂2014』で、健康経営銘柄の検討開始が明記された。その後2015年から現在まで毎年、その年の健康経営銘柄が発表されている。

では、健康経営銘柄はどのようにして選定されているのだろうか?

健康経営銘柄は、東京証券取引所に上場している企業(TOKYO PRO Marketの上場企業など一部は除く)を対象として、経済産業省と東京証券取引所が共同で選定や公表を行っている。

毎年、経済産業省が「健康経営度調査」を作成し、対象企業に対して回答を依頼する。健康経営度調査では、従業員の健康管理に関する取り組みや、その成果を問われる。企業は、調査内に含まれる申請書を記入して提出することで、健康経営銘柄にエントリーすることとなる。

健康経営度調査が完了すると、その回答や財務状況などを踏まえ、経済産業省と東京証券取引所が共同で健康経営銘柄を選定する。健康経営銘柄に選定された企業は、経済産業省と東京証券取引所によって、投資家に広く紹介されることになる。

また、選定されなかった企業も含め、調査に回答したすべての企業に対して、各施策の偏差値などを記載したフィードバックシートが送られる。

健康経営を投資判断に用いる
投資家も増えてきている

2022年に実施した調査からは、他社と比較することでレベルアップを目指すことや、ステークホルダーに対する情報開示を促すため、フィードバックシートも公表されることとなった（公表するかどうかは各社が選べる）。

なお、調査対象となる上場企業でも、調査への回答は義務づけられていない。

そのため、回答をせず健康経営銘柄にエントリーしないことも可能である。それでも、2022年に実施した調査では、対象の上場企業約3,800社のうち、1,127社が回答した（回答率30％程度）。健康経営銘柄の取り組みが始まった2014年調査では493社だったが、回答社数は年々増加しており、2022年調査の回答社数も過去最多であった。

日経平均株価（日本を代表する株価指標）を構成する225社のうち85％が回答しており、さらに、その多くがフィードバックシートをステークホルダー向けに公表している。

また、健康経営銘柄の対象とならない未上場企業であっても、「健康経営優良法人」として選定・公表される取り組みがある。健康経営優良法人制度も経済産業省によって運営されており[122]、政策の目的は健康経営銘柄と同じである。健康経営優良法人制度も申請数が年々増加しており、2022年調査でも過去最多の2,042未上場法人が回答を行った。

このように、上場・未上場問わず、企業において健康経営が広まっていることがわかる。

また、企業の健康経営を投資判断に用いる機関投資家は世界的に増えてきている。「健康は１日にしてならず」とも言われる通り、健康経営は長期的に継続していくことが重要である。

まずは自社の現状を知るために健康経営度調査の項目を調べてみたり、健康経営銘柄・健康経営優良法人に選定された企業の取り組みを見てみたりしてはどうだろうか？　企業・従業員・投資家がそれぞれに健康経営について理解することが、企業価値の向上や健康寿命を伸ばすことの第一歩になる。

121 経済産業省「健康経営」
https://www.meti.go.jp/policy/mono_info_service/healthcare/kenko_keiei.html
健康経営に関するポータルサイト「Action! 健康経営」
https://www.kenko-keiei.jp/

122 2022年度より健康経営度調査の実施やフィードバックシート返却等の運営事業は民間事業者による補助事業となった。制度の運営については今後民営化を目指している

生活 を支える

- ☑ キャッシュレス・消費者還元事業
- ☑ 生活保護制度
- ☑ NISA
- ☑ iDeCo
- ☑ 国民年金

政策名

キャッシュレス・消費者還元事業

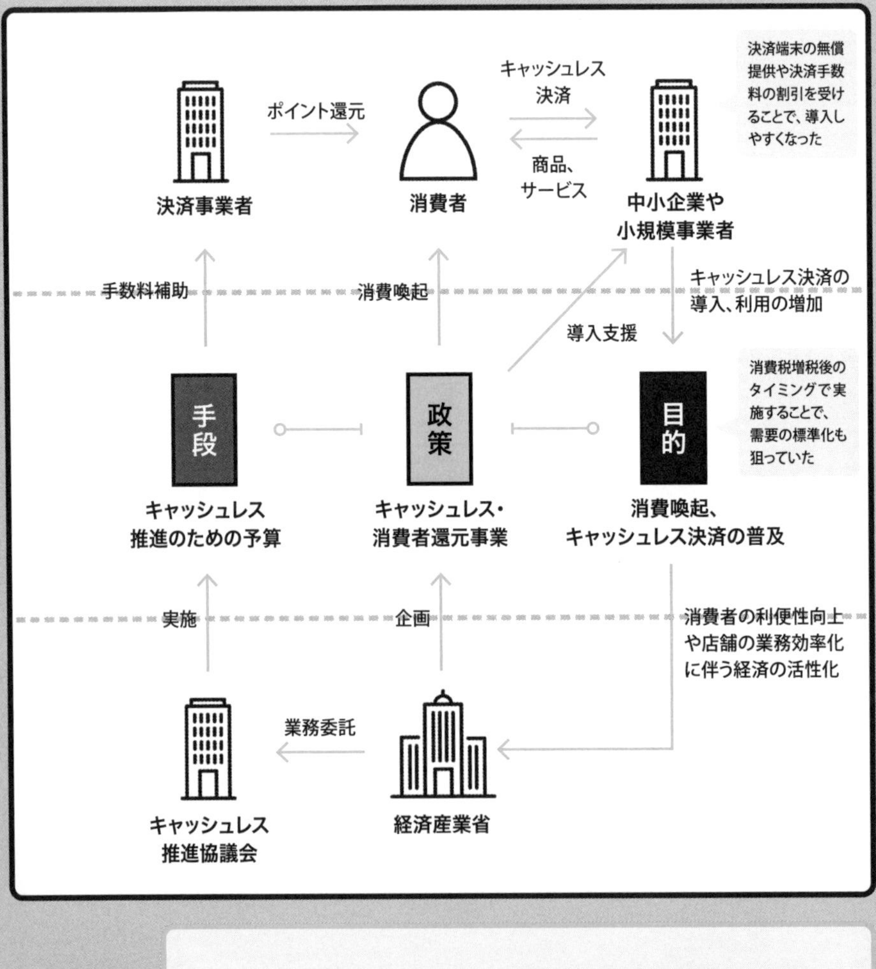

キャッシュレス決済の普及を
ポイント還元などで後押しした政策

「キャッシュレス決済の方が楽」と感じられる環境をつくった

今、あなたの財布には現金がいくら入っているだろうか？　最近、現金以外の決済方法、キャッシュレス決済が普及してきたことで、現金をあまり持たない人が増えていると思う。

欧米諸国に比べてキャッシュレス決済を使う割合の低い[123]日本では、支払い方法と言うと「現金の方が楽」と考える人が多かった。しかし最近ではキャッシュレス決済のお得なサービスや使える場所が増えたこともあり、「キャッシュレス決済の方が楽」な社会に変わりつつある。

その変化を大きく推し進めるきっかけとなったのが、2019年10月～2020年６月に経済産業省によって実施されたキャッシュレス・消費者還元事業だ。

この政策は店舗と消費者の双方に対して同時にキャッシュレス決済を推し進めた。具体的には、国が決済事業者や業界団体と連携し、小売店などの店舗に対して決済端末の無償提供や決済手数料の引き下げといったキャッシュレス決済の導入支援を行った。また、消費者に対してはキャッシュレス決済での買い物について購入金額の２～５％分をポイントなどで還元した。

ポイント還元を実施する登録店舗は115万店、ポイント還元の対象となった決済金額は合計11.7兆円[124]にものぼり、大規模な事業であったことがわかる。

この政策の結果、多くの人が簡単に・お得にキャッシュレス決済を使える範囲が増えていき、「キャッシュレス決済の方が楽」と感じられる環境が整い始めた。実際に、2010年時点ではキャッシュレス決済比率が13.2%だったが、2020年のキャッシュレス決済比率は32.5%[125]に達するほどの効果があった。

キャッシュレス決済を進めることで、経済の活性化を目指す

では、なぜ国がキャッシュレス決済を推進するのだろうか？

それは、キャッシュレス決済が広まると、「財布で現金を多く持たなくて済む」「素早く買い物ができる」など消費者にとっての利便性が高まるだけでなく、店舗の効率化や売上拡大、商品開発やマーケティングへのデータ活用、不透明な現金流通の抑止などにつながることが期待されているからだ。

つまり、キャッシュレス決済の推進を通じて、消費者の購買促進と店舗の競争力強化の両面から経済活性化を目指しているのだ。

今後、キャッシュレス決済はどこまで進むのだろうか？

国は2014年の「『日本再興戦略』改訂 2014」にて、キャッシュレス社会の実現について初めて言及した。その後、2018年には「キャッシュレス・ビジョン」を策定し、将来的に「世界最高水準の80%を目指していく」ことを明記した。より具体的な目標としては、2019年６月に発表された「成長戦略フォローアップ」において、キャッシュレス決済比率を2025年までに４割までに引き上げる目標を掲げている。

2019年のキャッシュレス決済比率は26.8%であったため、４割の目標はまだ遠いように感じられる。しかし、2020年以降も新型コロナウイルスの影響により、非接触型決済やECの利用が進んでいるため、今後もキャッシュレス決済比率は着実に伸び続けるだろう。

数年後に私たちの財布がどこまで変わるか、ぜひ想像してみてほしい。さらに、キャッシュレス決済を単なる支払い方法として捉えるのではなく、ビジネス環境の変化の潮流として見ると面白い。

具体的には、フィンテック（金融×テクノロジー）、リテールテック（小売×テクノロジー）、自治体DX（自治体×テクノロジー）など、さまざまな業界でキャッシュレス決済が活用されている。

現金決済ではお金を直接受け渡す必要があったが、キャッシュレス決済を用いることで場所や時間の制約を取り払うことができるようになる。こうして店舗を持たない金融機関、店舗に従業員のいない小売店、オンラインで手続きが完結する役所など、新たなビジネスモデルが生まれてきた。

このようにキャッシュレス決済は、私たちの生活やビジネスをよりよく変えていく手段のひとつなのだ。

123 日本のキャッシュレス決済比率は2020年時点で約30%にとどまっているが、主要各国では40%～60%台。
経済産業省商務・サービスグループキャッシュレス推進室．「キャッシュレス更なる普及促進に向けた方向性」.
https://www.meti.go.jp/shingikai/mono_info_service/cashless_future/pdf/001_05_00.pdf

124 経済産業省商務・サービスグループキャッシュレス推進室．「第二回の議論の振り返り、クレジットカードのコスト構造分析、今後のキャッシュレス推進施策等について」. 2020.
https://www.meti.go.jp/press/2020/09/20200911007/20200911007-3.pdf

125 経済産業省商務・サービスグループキャッシュレス推進室．「キャッシュレス更なる普及促進に向けた方向性」.
https://www.meti.go.jp/shingikai/mono_info_service/cashless_future/pdf/001_05_00.pdf

政策名

生活保護制度

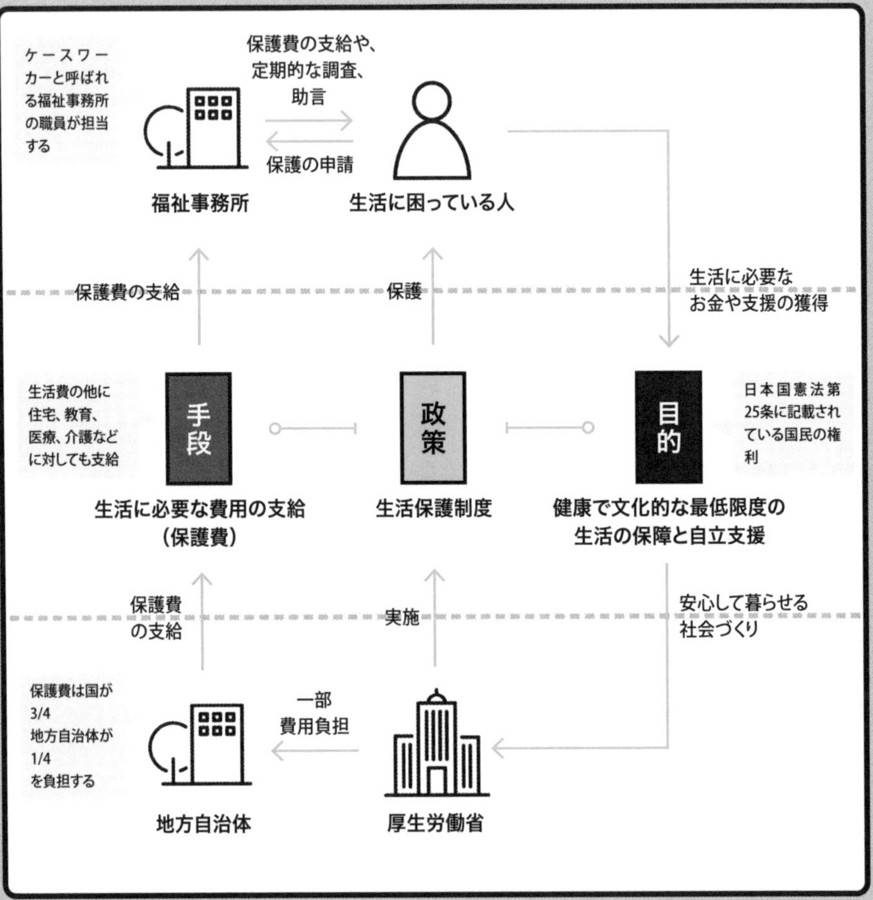

健康で文化的な最低限度の生活を国が保障する

生活できなくなったときの最後のセーフティネット

勤めている会社が倒産してずっと仕事が見つからなかったらどうしよう。重い病気にかかって貯金が尽きてしまったらどうしよう……。そんな不安に駆られたことはないだろうか？　生活に必要なお金が足りなくなる場合、まずは企業や行政機関が用意している失業手当・休業手当などと、自ら加入している保険などを活用することになる。

それでも足りない場合、最後のセーフティーネットとして、「生活保護制度」がある。

日本国憲法第25条には、私たち国民には「健康で文化的な最低限度の生活」を営む権利があると記されている。

生活保護制度はその権利に基づき、資産や能力などをすべて活用してもなお生活に困っている人に対して、困窮の程度に応じた保護を行うとともに、自立に向けた支援を行う。

日本の生活保護制度は、1950年に生活保護法が成立してから続いている、比較的歴史の長い政策である。具体的には、最低生活費（厚生労働大臣が定める基準で計算される）とその世帯の収入を比較して、収入が最低生活費に満たない場合に、最低生活費から収入を差し引いた差額が保護費として支給されるというしくみだ。

保護費は、食費・被服費・光熱費などの生活費のみならず、住宅・教育・医療・介護・出産・就労・葬祭といったさまざまな出費に充てられるように算出される。この財源は、４分の３を国が、残りの４分の１をそれぞれの地方自治体が負担するしくみになっている。

頼もしい政策である一方、最後のセーフティネットと呼ばれる通り、誰でもすぐに使えるものではない。前述の通り、生活保護制度の対象は、資産や能力などをすべて活用しても生活に困っている人である。つまり、預貯金があれば使う、利用していない土地や家屋があれば売却する、働けるなら働く、といった考えが大前提となっている。

そのため不必要に、もしくは不正に生活保護を受けることがないよう、手続きも慎重に行われている。まずは生活保護の申請希望者が、地方自治体（町村部は都道府県、市部は市）が設置する福祉事務所に事前相談を行う。要件を満たすことが認められたのち、正式に申請し、調査を行ったうえで保護が決定する。

調査は生活状況等を把握するための家庭訪問や、預貯金などの資産調査、扶養義務者による扶養（仕送り等の援助）の可否の調査、就労の可能性の調査など多岐にわたる。

保護費の支給が始まった後も、受給者は毎月収入の状況を報告するとともに、福祉事務所の生活保護担当職員（ケースワーカー）による訪問や助言を定期的に受ける。これは生活保護受給者の自立を促す狙いもある。

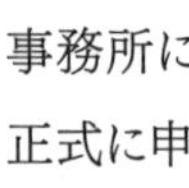

ケースワーカーの不足により、生活保護制度が機能しづらい状況になっている

では、この生活保護制度はどれほどの人が利用しているのだろうか？　生活保護の受給者数は2007年から広まった世界金融危

機を背景に増加し、2014年に約164万世帯、約216万人（全人口の1.70％）まで達したあと、しばらくは減少傾向にあった。[126]

2021年５月時点で、生活保護受給者数は約163万世帯、約204万人（全人口の1.63％）[127]となっている。ここ数年は新型コロナウイルスの影響を受け、生活保護の申請件数は増加傾向にある一方で、実際に保護を受け始めた人は世界金融危機時と違い、それほど急増していない状況だ。

世界金融危機とコロナ禍では経済に与える影響が異なる部分もあるため、単純な比較は難しいものの、「使いにくい制度になっており、本当に保護を必要としている人に生活保護が十分行き渡っていないのでは」という問題も指摘されている。[128]その要因として、要件の厳しさとケースワーカーの不足が挙げられる。特に後者については、ケースワーカーひとりが担当する標準世帯数は80世帯と定められているのに対し、実際は、67の団体のうち80％以上、56もの団体が80世帯以上を担当している。このように標準を超える担当を抱えている状況では、目の前の業務で手一杯になってしまい、その他の業務である窓口での相談業務や保護のスムーズな審査、保護世帯への支援業務に支障が出てしまうと考えられている。

現在の利用者の状況や課題にも目を向けることで、この制度の対象となっていない貧困や、対象になっていても救えていない貧困があることも知っておくべきだろう。

126 厚生労働省「第1回社会保障審議会『生活困窮者自立支援及び生活保護部会』資料」平成29年，2017. https://www.mhlw.go.jp/stf/shingi2/0000164409.html

127 厚労省.『生活保護の被保護者調査（令和3年5月分概数）の結果』. 令和3年，2021. https://www.mhlw.go.jp/toukei/saikin/hw/hihogosya/m2021/dl/05-01.pdf

128 PRESIDENT Online.「なぜコロナ禍でも『生活保護の受給者数』はまったく増えていないのか」. https://president.jp/articles/-/43315

政策名

NISA

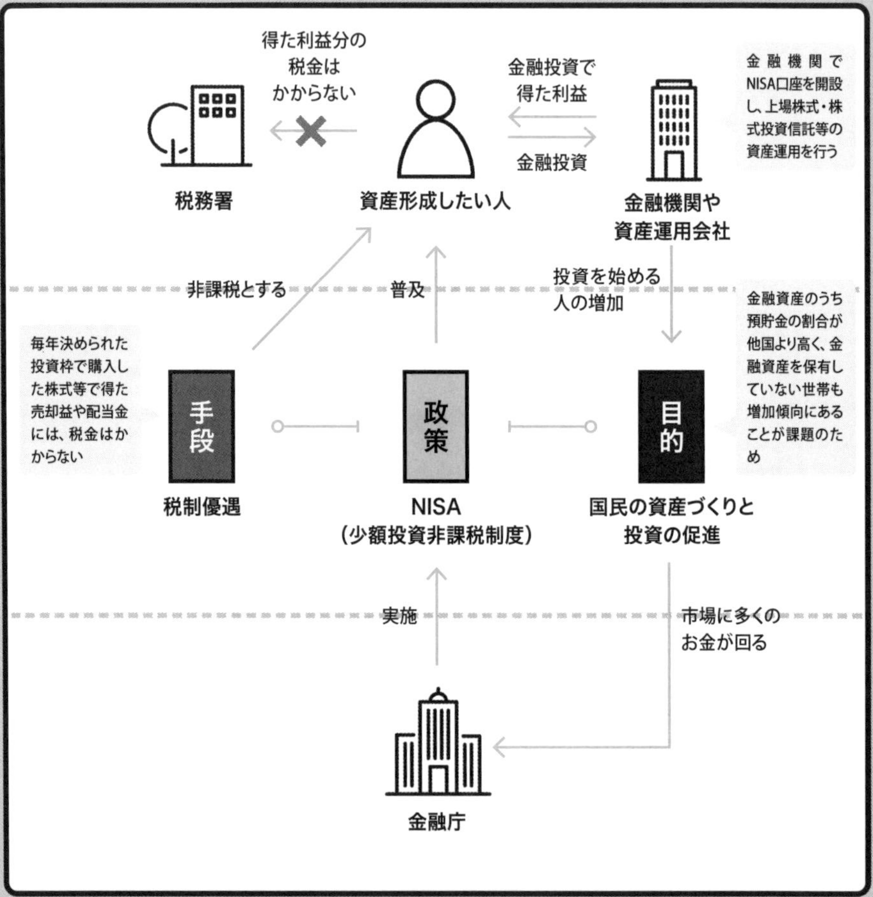

儲かっても「税金を払わなくてもいい」のがメリット

足りない老後資金を投資で貯めるためのしくみ

2019年、金融庁の報告書[129]が発端となり「老後2000万円問題」が話題になった。

老後2,000万円問題とは、老後30年間生活するためには合計2,000万円ほどが不足する、との試算のこと。金融庁の「金融審議会 市場ワーキング・グループ」が発表した。

ちなみにこの試算は、2017年度の家計調査で、高齢夫婦無職世帯[130]で平均収入と平均支出の差額が月5.5万円、つまり生活のために足りなかったお金から計算している。

あくまでこの差額は平均値なので、実際には各世帯の収入・支出によって不足する金額が異なってくるが、人生100年時代と言われる現代において資産形成が重要であることは間違いない。

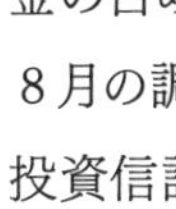

通常約20%とられる税金がNISAではかからない

日本は欧米諸国に比べて、家計における金融資産のうち預貯金の占める割合が高い傾向にある。日本銀行が発表した2023年8月の調査[131]によると、日本では現金・預金が54.2%、債券証券・投資信託・株式等は計6.7%に留まっている。

対照的にアメリカでは、現金・預金は12.6%、債券証券・投資信託・株式等は56.2%に達している。**こうした背景を踏まえ、“貯蓄から投資へ”の流れを生むために、より積極的に資産形成に取り組める人が日本で増えるよう、NISA（少額投資非課税制度）**

が2014年にスタートした。

NISAは個人で投資する人のための税制優遇制度である。株式・投資信託などへの投資から得られる配当金・分配金・譲渡益には通常、約20%程度の税金（所得税・住民税など）が課せられてしまう。一方でNISAを活用すると、一定の金額・期間までは非課税になる分、利用者にとってお得である。

2024年からは制度を大幅に改定した「新しいNISA」が開始される予定だ。新NISAは従来のNISAの枠組みを拡張し、改善したものだが、これまでとは大きく内容が異なるため、ここからは新NISAのしくみを中心に説明する。

まず、新NISAの最大の特徴は、非課税で投資できる期間が無期限であることだ。従来は期限付きだったが、無期限になったことで長期的な投資が行いやすくなった。また、投資できる金融商品の種類も広がっている。従来のNISAでは、株式や投資信託など一定の商品に限定されていたが、新NISAではより多様な選択肢が提供される。

新NISAには「つみたて投資枠」と「成長投資枠」というふたつの投資枠がある。つみたて投資枠は年間最大120万円までの投資が非課税となり、この枠は定期的につみたてる投資に適している。長期的な視点で資産形成を行うため、安定性を求める方に適している。

一方、成長投資枠は年間最大240万円までの投資が非課税となり、よりアクティブな投資を目指す投資家に適している。株式の購入など、より高いリターンを目指すが、それに伴う高いリスクを受け入れる必要がある。この枠は、市場のチャンスを積極的に捉え、資産を大きく増やそうとする投資戦略に対応している。

新NISAでは、このふたつの投資枠を併用してうまく使い分けることで、投資家個々のニーズに応じた柔軟な資産運用が可能になる。この制度を通じて、日本の個人投資家がより幅広い選択肢を持ち、資産形成を促進することが期待されている。

ただし、どの投資枠を利用するにしても、市場のリスクを理解し、慎重に投資先を選定することが重要である。新NISAは、資産形成の新たなステージを提供し、日本における個人投資の風景を大きく変える可能性を秘めている。[132]

129 金融庁.「金融審議会 市場ワーキング・グループ報告書『高齢社会における資産形成・管理』」. 令和元年, 2019.
https://www.fsa.go.jp/singi/singi_kinyu/tosin/20190603/01.pdf

130 夫が65歳以上かつ妻が60歳以上で世帯主が無職の世帯

131 日本銀行調査統計局「資金循環の日米欧比較」2023.
https://www.boj.or.jp/statistics/sj/sjhiq.pdf

132 金融庁.「新しいNISA」.
https://www.fsa.go.jp/policy/nisa2/about/nisa2024/index.html

政策名

iDeCo

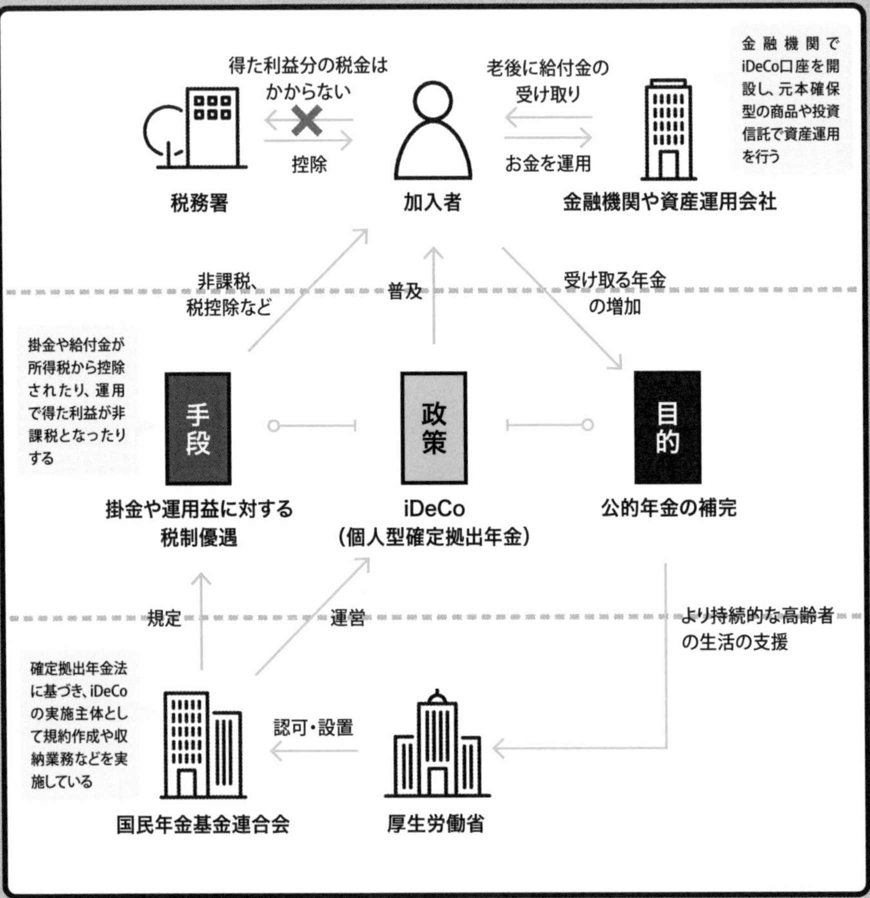

老後の年金を
自分の投資で増やす

運用はすべて自分で行う

「iDeCo[133]」は、イデコと呼び、正式名は「個人型確定拠出年金」だ。「年金」と入っている通り、年金制度の一種である。そもそも確定拠出年金とは、従業員のために事業者や、個人が掛け金を拠出し、それを運用した利益の合計額を元にもらえる年金のことだ。日本には、公的年金とよばれる国民年金や厚生年金があるが、それとは別に、**個人で行える年金制度のひとつである。**

iDeCoは「もうひとつの年金」とも言われ、公的年金と組み合わせることで、より豊かな老後生活を送るための資金をつくりやすいように設立された。NISAと同じく税制優遇措置が用意されている。これまでは加入可能年齢が60歳未満だったが、制度改正により、2022年5月以降は、条件付きで65歳未満のひとまで加入できるようになった。

公的年金との違いは、任意加入である点と、加入の申込や掛金の運用のすべてを自身で行う点である。自分で決めた掛金額を積み立てていき、自分で選んだ運用商品（定期預金、保険商品、投資信託）で掛金を運用する必要があり、受取額は自身が決めた掛金の合計額や運用成績によって各々異なる。

日本は公的年金の崩壊が懸念されている

日本は世界で高齢化率が最も高く、総人口に占める65歳以上の割合は、2021年10月現在では28.9％である。また、高齢化の進行も早く、2060年には約４割にまで上昇するものと見込まれている[134]。このような高齢社会では、公的年金の崩壊が懸念されている。そのような社会では、公的年金だけに依存し、豊かな老後生活を送ることは難しいこともあるだろう。そのため、自分の努力で老後のための資産形成を推進することで、公的年金を補完し、高齢社会でも老後生活を送れるように整備された制度である。

iDeCo の最大の特徴は、税制優遇が受けられる点だ。

①積み立てた掛金全額がその年の所得から控除される

②運用している金融商品で生じた利息・運用益は非課税になる

③積み立てた資産を受け取る際にも所得が控除される

の３つである。

2022年には、株式市場の下落やロシアのウクライナ侵略による世界経済への影響などを背景に、個人による投資が不安視されている。そんな中、iDeCo は今まで積み立てた資金を別の投資先に変更することもできる点が最大の魅力である。

2017年からは、企業年金（企業型確定拠出年金、確定給付企業年金、厚生年金基金）を実施していない従業員300人以下の中小企業の事業主が、従業員の老後の所得確保に向けた支援を行うことができるよう、iDeCo に加入している従業員が掛金額を積み立てていく加入者掛金に追加して、掛金を積み立てられる中小事業主掛金納付制度「iDeCo＋（イデコプラス）」も設計されている。

2022年４月から国民年金の繰下げ受給が75歳まで延長となり、それに合わせて、受取り開始年齢時期が75歳まで延長され、同年５月から会社員・公務員または国民年金の任意加入者である第２号被保険者に限り、加入可能年齢が60歳未満から65歳未満へ

５年延長で加入できるように改正された。

受取開始時期の選択肢が増え加入可能年齢も高くなったが、2022年10月からは、これまではできなかった企業型確定拠出年金に加入している人でも原則 iDeCo に加入できるように改正された。デメリットとしては、iDeCo は、利息や運用益がすべて非課税なので税制優遇制度がメリットであるはずなのに、受取額が非課税枠を超えてしまった場合は、運用時には非課税だった利息分も結局課税されてしまう点が挙げられる。

また、老後のための資金形成を目的とした制度のため、原則60歳になるまで掛金や運用益が引き出すことができない。そのため、急な支出で必要になっても、原則、定期預金のように一時解約をして使うことができない。また、職業などによって、毎月の掛け金額の上限金額が決まっており、所得控除の対象となるのも月に１、２万円程度までのため、投資枠が少ないとの指摘もある。

冒頭に説明したとおり、金融商品は自身で選択する必要があるため、投資知識は必要不可欠であり、投資の結果によっては損失を出してしまい、元々投資のために積み立てたお金が増えないこともある。また、公的年金と異なり、金融機関の選定、口座開設手続きなどすべて自身で煩雑な手続きを行い、加入時手数料や口座管理手数料などの各手数料や維持費なども自己負担であるため、手数料が運用利回りを上回るといった場合もある。

133 「individual-type Defined Contribution pension plan」の略

134 内閣府
https://www8.cao.go.jp/kourei/whitepaper/w-2022/html/zenbun/s1_1_1.html

政策名

国民年金

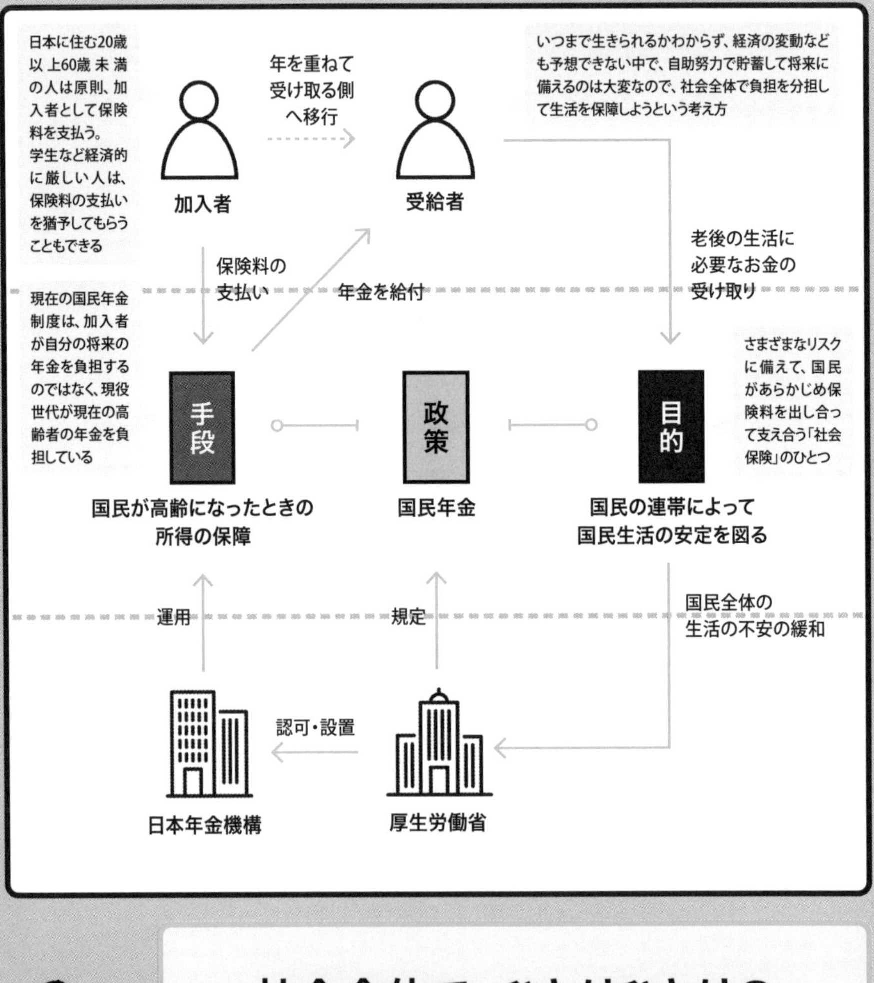

社会全体で、ひとりひとりの老後の生活を保障する

最初は全員加入ではなかった

国民年金とは20歳から60歳未満の全国民が加入しなければならない公的年金制度である。同じく公的年金である厚生年金(とiDeCoなどの私的年金)と併せて、高齢者の生活を支える社会保障制度のひとつである。

20歳以上の国民には基礎年金番号が割り当てられている。年金を受け取るためには最低でも10年以上の保険料の支払いが必要であり、20歳〜60歳になるまで(40年間)全期間の保険料を納めた人には、65歳から満額の老齢基礎年金が支給される。年金制度を担当している省庁は厚生労働省であるが、実質的な制度運営は日本年金機構という特殊法人に委託されている。

そもそも日本での年金制度の始まりは、一定期間勤めてから退職したり亡くなったりした軍人や公務員に対する「恩給制度」の考え方が大本にある。その後第二次世界大戦中から戦後にわたって、民間の労働者に対する厚生年金制度が整備された。

こうして会社員と公務員に対する年金制度は存在していたが、自営業者にはいずれの制度も対象でなかった。年金自体が存在していなかったのだ。

しかし1960年代の高度経済成長のさなか、自営業者にも老後の社会保障が必要であるという議論が生まれ、1961年に自営業者を対象とした国民年金制度が創設された。年金保険料を25年間納めた人に受給資格が認められ、60歳から受給が始まった。しかし、制度創設時の年齢によって受給資格を満たせない人たちを救済するために、後に10年に短縮された。

こうして始まった国民年金制度はさまざまな時代や社会の変化に直面して改革が行われていくことになる。制度の創設当初は国民年金への加入は任意だった。また、当時は専業主婦が多い時代だったこともあって、老後の女性の年金がないことも社会問題となりつつあった。そのため、1986年の制度改正で専業主婦も強制加入となった。

同じく任意加入であった学生も後に加入が義務づけられた。なお、学生に対しては申請をすれば在学中の保険料の納付が猶予される学生納付特例制度が存在する。学生納付特例の承認を受けた期間は、10年以内であれば保険料をさかのぼって納めること（追納）ができ、追納すると将来受け取れる年金額が増加する。

こうして国民年金制度への加入者が増えたが、高齢化社会により、保険料を払う側から年金を受け取る側に移る人が徐々に増えてきた。これを受けて、自分が積み立てた保険料を受け取るしくみ（積立方式）が回らなくなり、現役世代が納めた保険料を年金世代への給付に回すしくみ（賦課方式）に移行した。納められた保険料は日本年金機構によって債券や株式に分散投資されて、安定的に運用されている。2019年時点では年金受給権者が4,040万人に対して公的年金加入者が6,762万人、年金支給額が52兆9,607億円に対して、保険料収入が39兆904億円である。

現行の国民年金の制度では３つの被保険者の区分が存在する。第１号被保険者は日本国内に住む20歳以上60歳未満で、第２号・第３号被保険者でない人全員が当てはまり、主に自営業者、学生、農業・漁業従事者、フリーター、無職の人などが該当する。

第２号被保険者とは原則65歳未満の厚生年金に加入している人

（会社員や公務員など）を指す。国民年金は基礎年金とも呼ばれ、20歳以上60歳未満で日本国内に住む人全員が加入して保険料を納める義務があるが、厚生年金は雇用主と折半して保険料を納める。

多くの場合給与や賞与から天引きされているので自分で納める必要はなく、毎月の給与や賞与に一定の保険料率を掛けた金額を払うので給与が高ければ高いほど受け取れる厚生年金額も高くなる。平均的な収入で40年間就業した場合に受け取り始める年金（老齢厚生年金とふたり分の老齢基礎年金（満額））の給付水準は22万4,482円（2022年度）である。

第３号被保険者は第２号被保険者の配偶者で、年収が130万円以下の人を指す。保険料は、第２号被保険者の会社が負担している形となるため、自分で納める必要はない。将来受け取れる年金額は第１号被保険者と同じである。

第１号被保険者から第３号被保険者まで共通して、給付される金額は物価や賃金の変動に応じて毎年改定される。この他、給付額の調整にはマクロ経済スライドというしくみが2004年から導入されている。

年金が出せない苦しさの原因は、少子高齢化

現行の国民年金制度では、現役世代が納めた保険料をそのまま年金世代への給付に充てる賦課方式が取られている。少子高齢化によって分子と分母のバランスが崩れると、現在の支給額と将来の支給額に差が生まれてしまう。しかし、現役世代に多額の保険料を負担させることは難しいため、本来はインフレや高齢化など社会の変

化に合わせて増加すべき年金額を、将来的な年金制度の持続性を考えて抑えるしくみにしているのだ。これを、マクロ経済スライドという。

以上が一般的な年金制度（老齢基礎年金）の概要であるが、他にも対象範囲は狭いものの障害基礎年金や遺族基礎年金という枠組みも存在する。

また、老齢基礎年金には付加年金として払い込んだ保険料の「半額」が将来的な年金額に加算されるという任意加入の制度が設けられている。月額６万6,250円（2023年度）の老齢基礎年金だけで生活することが難しいのは明らかであり、第１号被保険者は毎月の保険料に400円プラスすると将来の受給額を増加させることができる。

このように国民年金は恩給制度から始まり、広く国民の老後の生活を支える社会保障制度として発展してきた。しかし、少子高齢化による賦課方式への移行や年金記録の漏れなど多くの問題に直面してきた。今後も高齢者人口はどんどん増加する一方で減り続ける現役世代を定年延長や再雇用で補っているのが現状である。

フルタイムで働いて生活できる収入がある高齢者も一定数いる中で、支給開始年齢の引き上げの議論や、現役世代にかかっている負担をどう軽減するのか、さらに少子化によって母数の少ない将来世代にわたって年金制度は持続可能であるのかどうか、更なる制度改革に向けた検討が求められる。

社会基盤を支える

- ☑ 個人情報保護法
- ☑ PFI
- ☑ PLATEAU
- ☑ マイナンバー制度

個人情報保護法

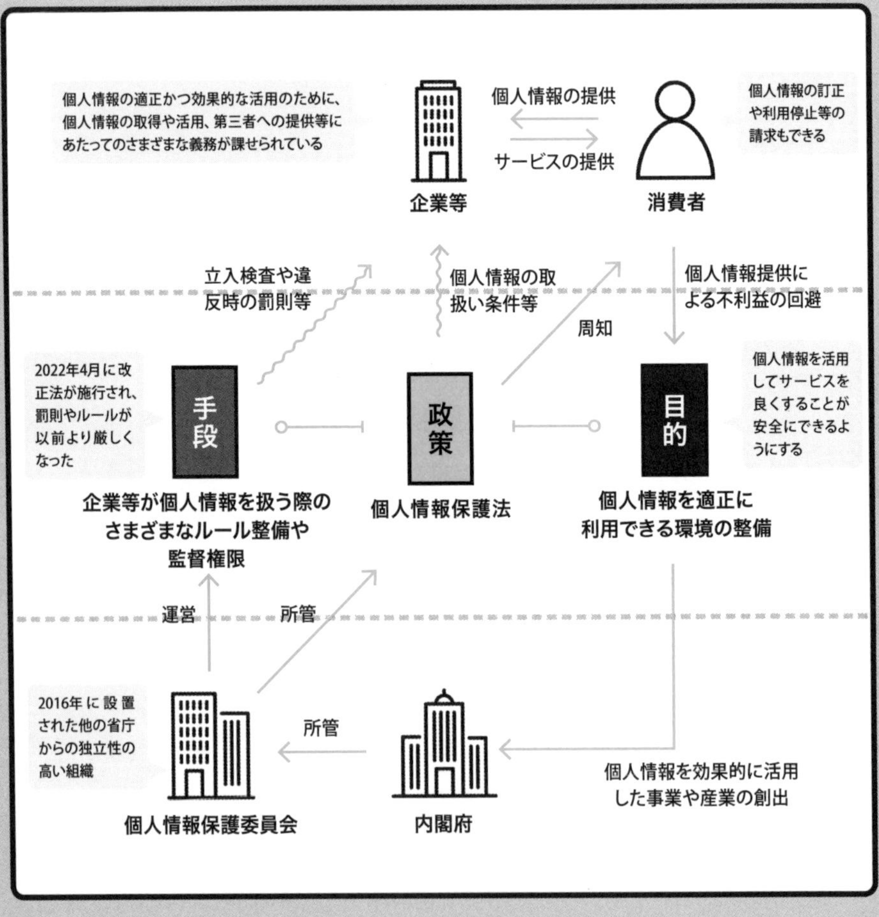

プライバシーを守ることと、経済活動のための活用との両立を目指す

2003年までは個人情報保護のための法律が存在しなかった

個人情報保護法とは、個人の権利や利益を保護しつつ企業が個人情報を活用するためのルールを定めた法律である。

「個人情報」とは、生存する個人に関する情報で、氏名や顔写真など特定の個人を識別できる情報を指す。生年月日や電話番号といったものも、氏名と組み合わせれば個人を特定することができるため、個人情報になる場合がある。

企業はたくさんの個人情報を保有している。たとえば従業員の個人情報を持っているし、サービスを利用する顧客の個人情報も保有している。こうした情報が本人の同意なしに外部に漏れてしまうことはプライバシーの侵害となるし、何よりその情報を悪用されて被害を被る可能性もある。

一方で、企業はその個人情報を活用して事業を展開したりサービスの改善を行う。

サービスを利用している人たちの情報から特定の属性（性別や住んでいる地域など）を抽出して、**どんなサービスがどんな人に使われているかを分析し、同じような属性を持つ人たちにもっとサービスを届けようとする等だ。**

また、近年ではデジタル上でたくさんの個人情報をデータとして集め価値を生み出すことが当たり前になっている。スマホで自分の食事や行動を記録し、健康のためのアドバイスを健康増進アプリが提供してくれたり、検索履歴からどんなものをほしがっているかを推測して商品が推薦されたりというようなことを経験している人も多いのではないだろうか。

このように、個人情報を活用することで新しいサービスが生まれたり、サービスの質が向上する等の恩恵があるとはいえ、個人情報は守られなければならない。

とはいえ、個人情報をあまりに守りすぎると、企業がうまく個人情報を活用してビジネスの価値を生み出せない。このふたつのバランス、つまり個人情報の「有用性」を損ないすぎないようにしつつ、「保護」もされるようなルールを整備するための法律が、個人情報保護法だ。

この個人情報保護法は2003年に公布されたが、その後2015年と2020年に大きく改正された。

改正された理由としては、情報化社会の中でデータを積極的に活用して経済活動が活発になったことがあげられる。生活の中でスマホやPCなどを使うことが当たり前となり、個人情報をやり取りする場面が増えたり、やり取りする個人情報の内容も多様化していった中で、**プライバシーの保護からみたときに、「本当に使っていい個人情報なのか」が曖昧なケース（グレーゾーン）が出てくるようになった。**

このような、プライバシーの保護とパーソナルデータの利活用を共に実現するため、2015年に個人情報保護法は改正された。

ここでは個人情報の定義が明確化されたほか、個人情報の利活用のための規定が整備された。またIT技術が急速に進展したことを背景に、この改正では3年ごとに個人情報保護法の見直しを進められることになったことも特徴である。

2020年の改正では、この「３年ごとの見直し」に基づき、個人の権利の保護とデータの利活用のバランスの再検討はもちろん、データが国境を超えて流通することで生じるリスクに対応することなどに基づき改正が進められた。

具体的には、事業者の守るべき責務について明確化されたことが特徴である。

たとえば、それまでは個人が個人情報の利用停止・消去等をするためには、個人情報を目的外で使用することや偽りなど、不正な手段によって個人情報が取得された際に限定されていた。

この改正によって、これに加えて、個人の権利や正当な利益が害されるおそれがある場合にも拡大された。このように、個人の権利保護については、より個人が自分の個人情報を保護できるよう強化されたといえる。

事業者に対しては、漏えい等が発生し、個人の権利利益を害するおそれが大きい場合に、個人情報保護委員会への報告と本人への通知が義務化されるようになった。

もし不正アクセス等により個人情報の漏えいが起こったとしたら、これまでは委員会への報告と本人への通知は努力義務だった。しかし、事業者側が適切に対応できないこともあり、義務化へと舵を切った。

また、不適正な方法で個人情報を利用してはならないことが明確化された。データ分析技術が急速に高まる中、個人情報の利用については個人の権利利益の侵害につながりかねないケースも増えてきた。

たとえば、かなり悪質な場合、違法行為を営む第三者に個人情報を提供することなどが想定されるが、このような提供方法を禁止することを明確にしたのである。

他にも、事業者の自主的に取り組めるようなしくみを促したり、命令違反のあった事業者へのペナルティの強化が掲げられている。

社会の発展のためには個人情報の活用と、プライバシー保護と両方大切

今後もデジタル化の進展の加速によって取得可能な個人データも増えていくだろう。

多くの個人情報が集まり、新たなイノベーションの創出へと好循環が生まれるかもしれない。

一方で、従来よりも収集されやり取りされる個人情報も拡大してきているのも事実であり、事業者にはその取扱いにはより一層の注意が求められる。

個人データの利活用と個人の権利利益の保護は二項対立ではなく、両輪で進んでいくものである。社会の変化に柔軟に対応しつつ、個人情報が「個人の」情報であるという意識を常に持ち、社会の発展に貢献するためのものであり続けることが期待される。

政策名

PFI

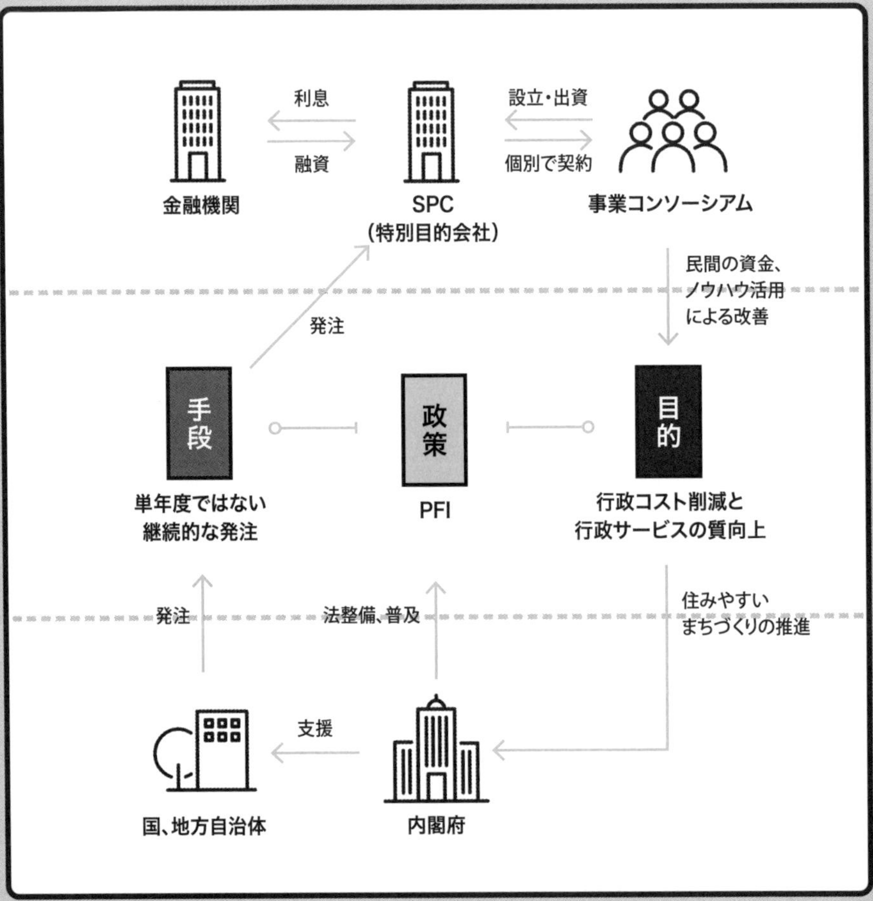

民間によって
公共施設を運営する

公共の施設の運営を、民間企業に委託する政策

公園・学校・福祉施設・ゴミ処理施設など、私たちの生活は多くの公共施設によって支えられている。それらは身近な存在である一方、公共施設がどのようにつくられ運営されているかを知る機会は多くないように思う。そんな公共施設の運営は、実は行政だけではなく、民間企業も担っている、というと意外に思う人もいるのではないだろうか。

今回紹介する「PFI（Private-Finance-Initiative）」は、民間企業に公共施設や公共サービスの業務を委託するという政策だ。公共施設は通常、〈設計・建築・維持・運営〉などの業務ごと、かつ年度ごとに分けて、行政機関から民間企業に発注する場合が多い。

しかし、「PFI」という手法では、すべての業務をまとめて行政機関から民間企業に発注する。**行政機関が業務ごとに細かな仕様を定める必要がなく、民間企業が自分たちのノウハウや技術を柔軟に活用しやすい点が特徴だ。**この手法は、官民（行政機関と民間企業）が協働して、効率的かつ効果的に質の高い公共サービス提供を実現する考え方（PPP）[135]から来た手法のひとつである。

複数の民間会社に参加してもらえるしくみにしたことで、多くの技術や資本が使える

では、どのような形でPFIはできているのだろうか。PFI事業は、資金の調達から施設の運営・管理など幅広い業務を担うため、設計会社や維持管理会社など「複数の企業がひとつのSPC

（特別目的会社）と呼ばれる会社を設立する」という考えで成り立つ。

SPCはそのPFI事業のみを行う単一目的会社で、従業員もいない、いわゆるペーパーカンパニーとしてつくる。SPCは国や自治体などと契約（特定事業契約）を結ぶことにより、PFI事業を行う権利を得る。そして、構成メンバーである各社に業務を委託し、取りまとめながら事業を推進していく。

必要な資金は、これから得られる収益を担保に金融機関からの融資を受けたり（プロジェクト・ファイナンス）、出資者から出資を受けたりなどでまかなう。こうすれば、複数の民間企業の技術や資本を活用できるため、PFIには「低廉かつ良質な公共サービスが提供されること」「公共サービスの提供における行政の関わり方の改革」「民間の事業機会を創出することを通じ、経済の活性化に資すること」の3つの効果が期待されている[136]。

1999年にPFI法が制定されてから、20年以上が経った。2020年度末までに実施されたPFI事業は累計で875件にのぼる[137]。このうち最も多いのは社会教育施設や文化施設などの〈教育・文化領域〉で、その後に〈まちづくり領域（道路、公園、下水道施設、港湾施設など）〉〈健康・環境領域（医療施設、廃棄物処理施設、斎場など）〉が続く。

具体例として、山形県東根市の公益文化施設「まなびあテラス」の整備を見てみよう。この事業は、図書館・美術館（市民ギャラリー）・市民活動支援センターが入った公益文化施設であるとともに、都市公園も整備し、維持管理と運営を実施する。設計企業、運営企業など計6社によってSPCが構成されており、事業期間は22年間（2014年9月～2036年10月）、約65億円での契約だった[138]。

この施設は、交流や芸術文化の拠点となることが期待されていることに加え、低コストで質の高い行政サービスにも取り組む。

取り組みは順調に進んでいる

最後に、今後の展望を考えてみよう。政府は当初、2022年度末までにPPPおよびPFIの事業規模を21兆円とする目標を掲げていたが、2020年度末時点ですでに23.9兆円を超え、目標を3年前倒しで達成するなど好調である。しかし、PFIの取り組みはまだ道半ばといえる。

人口減少や新型コロナウイルス感染症への対応等により行政機関の財政状況が厳しさを増しているのに、これから多くの公共施設等が老朽化による更新時期を迎える。こうした状況で、良質な公共サービスの提供・財政健全化・地域経済の活性化を同時に実現する方法としてPFIは有用な政策になりうる。

政府は2022年度から10年間の事業規模目標を30兆円とする新たな計画を決定した。ノウハウを持つ専門家の派遣を増やすなどして、PFI未実施の自治体を中心に働きかけを強化する方針だ。こうした追い風を受けることで、今後もPFIの活用が広がると考えられる。今後どのような官民連携の取り組みが生まれるか、ぜひ注目してみてほしい。

135 PPPはPublic-Private-Partnershipの略称

136 内閣府.「PFIの効果」. https://www8.cao.go.jp/pfi/pfi_jouhou/aboutpfi/pfi_kouka.html

137 内閣府.「PFI事業の実施状況（令和3年度末）について」. 令和4年, 2022. https://www8.cao.go.jp/pfi/whatsnew/kiji/jigyoukensuu_r3.html

138 内閣府民間資金等活用事業推進室.「PPP/PFI事例集」. 令和2年, 2020. https://www8.cao.go.jp/pfi/pfi_jouhou/jireishuu/pdf/jireishuu.pdf

政策名

PLATEAU

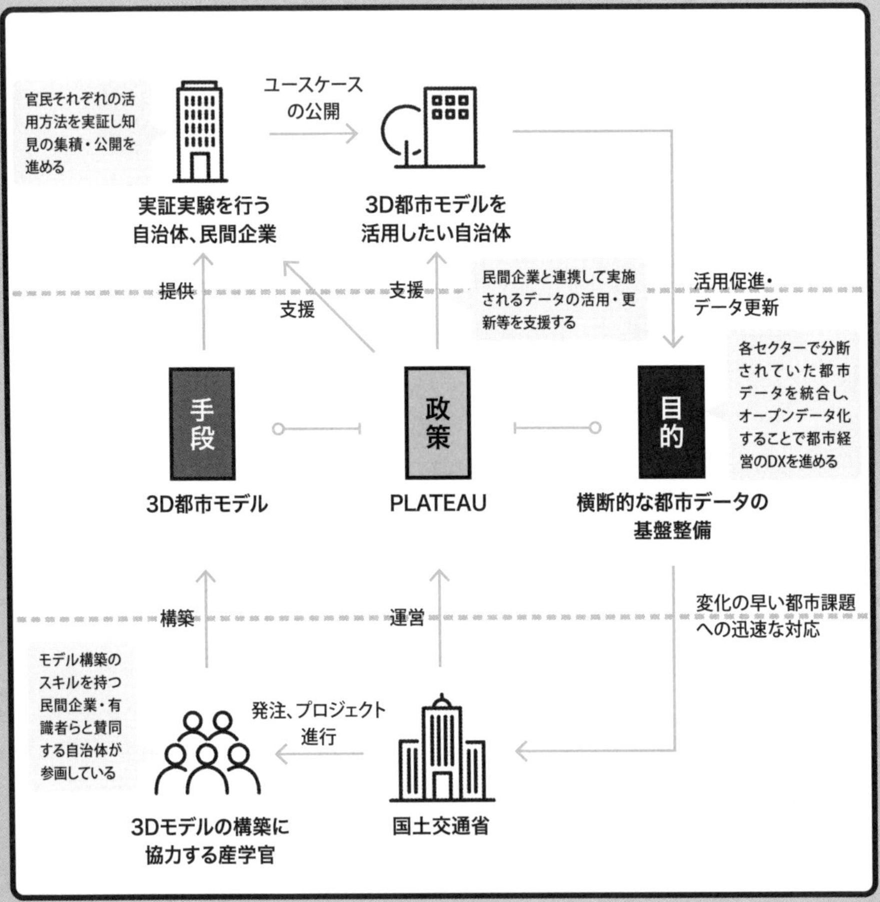

3D都市モデルの整備・活用・オープンデータ化を進める取り組み

都市のデータをオープンにして発展を目指す

日本の都市データの整備・活用・オープンデータ化が、国主導で進められているのをご存知だろうか？

「PLATEAU（プラトー）」と名付けられたこのプロジェクトは、都市活動のプラットフォームデータとして３D都市モデルを整備し、そのユースケース（活用事例）を数多く生み出している。さらにこれをオープンデータとして公開することで、誰もが自由に都市のデータを引き出し、活用できるようになることを目指している。

なぜ都市のデータを開放するのだろうか？　それは、各団体や企業が自由にデータを見られるようにすることで、**持続可能な都市開発、災害対策、パンデミック対策など社会にあふれる課題を解決することを期待しているからだ。**３D都市モデルとは、都市空間に存在する建物や街路といったオブジェクトに名称・用途・建設年といった都市活動情報を付与することで、都市空間そのものを再現する３D都市空間情報プラットフォームのことだ。

都市の建物を高さのデータで絞り込むことや、浸水の危険ランクごとに色分けして表示することもできる。こうした機能を持つ３D都市モデルには、以下３つの提供価値がある[139]。

①ビジュアライズ（視覚性）：都市空間を立体的に認識できるため、説明力が上がり、意思決定がスムーズにできる。

②シミュレーション（再現性）：立体情報をサイバー上に再現することで、自動運転やドローンなどを含め幅広く精緻なシミュレーションができる。

③インタラクティブ（双方向性）：フィジカル空間とサイバー空間が情報を交換し作用し合うためのプラットフォームを提供できる。

PLATEAUはブラウザ上で誰でも確認できる。データを見れる「PLATEAU VIEW[140]」や、オープンデータを利用できるポータルサイト（G空間情報センターHP内[141]）がある。

各都市のポテンシャルを最大限に活用するために生まれた

では、どのようにしてこの画期的なモデルが生まれたのか。日本では、1995年の阪神・淡路大震災時に被害状況を把握し、復興計画を立案するための地図データがほとんどなく、苦労した経験等をきっかけに、地理情報システム（GIS）の整備が本格的に始まった。地理情報システムは、地図情報を手がかりに、位置データ（空間データ）を視覚的に表示し、高度な分析や迅速な判断を可能にする技術である[142]。

ただ、その元となる地図情報が電子化されていないことや、データの仕様が異なって使えないという原因で、関係省庁がそれぞれ整備を進めなければならない状況になっていた。**各省庁ごとに管轄が違うので、それぞれが分断した情報だけを持っていることになる。**これでは効率的に災害などの問題に対処することができないし、新たに都市計画を立てることも難しい。その都市のポテンシャルを最大限引き出すために都市の情報を分野横断的に統合していく必要がある。こうした強い課題認識と、新型コロナウイルスの影響でDX[143]化の機運が高まっていたことが追い風になり、2020年4月にPLATEAUが立ち上がったのだ。2022年度には

3D 都市モデルの整備範囲が全国約130都市に拡大、2023年度末には約200都市に拡大する見込みだ。また、すでにユースケースも100件を超える[144]。

さらにはPLATEAUを活用した実証実験が数十件と、成果を取りまとめた各種マニュアル・技術資料等も公開されている。単にモデルを整備するだけでなく、実証実験にも力を入れているのは「3D 都市モデルはデータの集合体であり、データはソリューションとして活用してこそ価値がある[145]」と考えられているためだ。

これまでに、官民によるさまざまな分野での実証実験の他にも、特定の地域でのオープンデモや、PLATEAUのエンジニアコミュニティによる意見交換などのイベントが数多く実施されてきた。国土交通省の2022年度予算にも、今後、データ整備を効率化・高度化するだけでなく、より社会的要請の高い「脱炭素」や「モビリティ」といったテーマの深掘りや全国の地方自治体による3D 都市モデルの整備・活用に取り組むことが記載されている[146]。

139 国土交通省.「About」. https://www.mlit.go.jp/plateau/about/

140 国土交通省.「Plateau View App」. https://www.mlit.go.jp/plateau/app/

141 G空間情報センター .https://www.geospatial.jp/gp_front/

142 国土交通省国土地理院.「GISとは…」. https://www.gsi.go.jp/GIS/whatisgis.html

143 デジタルトランスフォーメーション（DX：Digital Transformation）の略。

144 国土交通省. 報道発表資料. 2023年
https://www.mlit.go.jp/report/press/toshi03_hh_000101.html

145 国土交通省 都市局 都市政策課 都市計画課.「報道発表資料」. 令和3年, 2021.
https://www.mlit.go.jp/report/press/content/210326ProjectPLATEAUver1.0.pdf

146 国土交通省都市局.「都市局関係 予算概算要求概要」. 令和4年度, 2022.
https://www.mlit.go.jp/page/content/001420224.pdf

政策名

マイナンバー制度

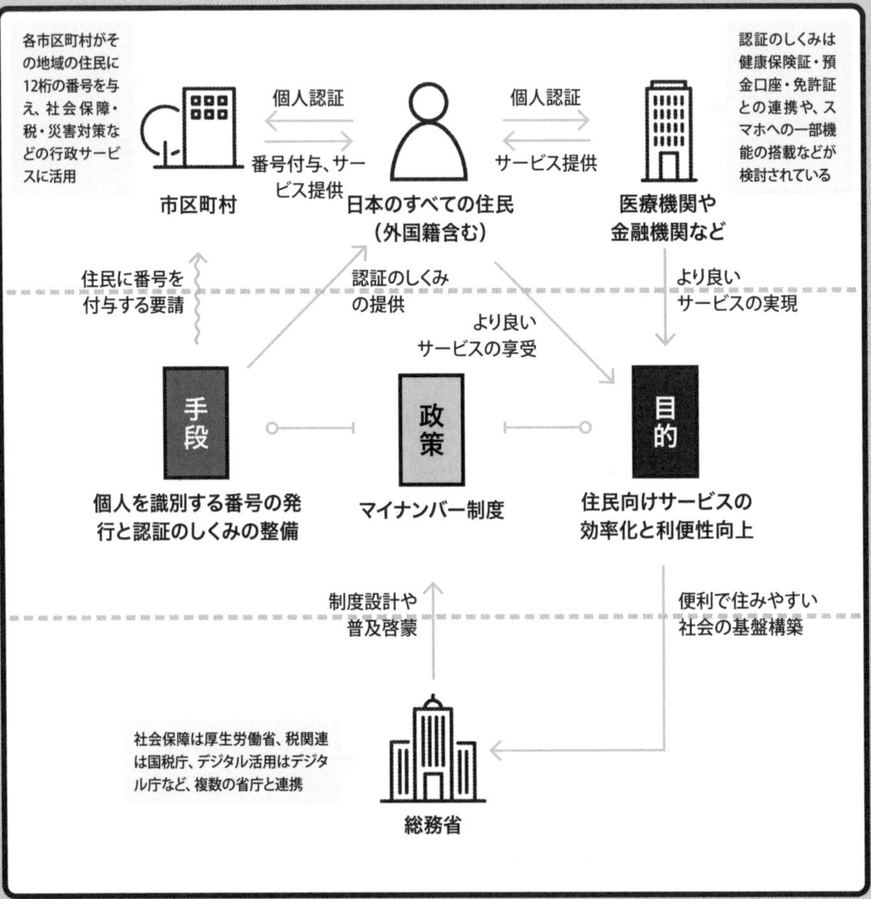

国民の利便性のために生まれた制度

私たちが行政で手続きをするときの面倒くささを軽くするために生まれた

マイナンバーとは、正式名称では「個人番号」と呼ばれる。

日本で住民票を持つすべての方がひとりにひとつ持っている12桁の番号である。このような番号を設ける理由としては、日本の行政手続きを効率化するためだ。行政は縦割りになっていることで、行政手続きがとても非効率になってしまっている。

たとえば、福祉サービスや社会保険料の減免などの対象かどうか確認しようとしても、ひとつの機関ではできないのだ。

住民票を確認するためには自分の住んでいる区市町村で確認をする必要があり、基礎年金番号を確認するために年金事務所等を通じて確認が必要である。**とても非合理的だが、同じ人物なのにそれぞれの機関独自の番号で個人の情報を管理しているため、このように機関をまたいで情報のやりとりが必要となり、氏名、住所などでの個人の特定に時間と労力を費やしていた。**

このような場合、私たちは役所の窓口をいくつも渡り歩き、たくさんの書類を添付して申請書を作成する必要がある。

また、申請を受けつける行政職員も、複数の書類をもとに確認作業をしなければならず、双方に大変な負担になっていた。

さらにいうと、行政機関は所得状況等も一本化して把握もできておらず、社会保障の不正受給かどうかを判別することが難しい等の問題点もあった。

そこで、社会保障・税・災害対策の3分野での手続きをより簡単にするために「マイナンバー」の導入が考えられたのだ。

マイナンバーカードでより便利に

また、個人番号を証明する書類や本人確認の際の公的な本人確認書類として利用でき、さまざまな行政サービスを受けることができるようになるICカードとして「マイナンバーカード」がつくられ、配られている。

個人情報の照会ができるサイト「マイナポータル」などのしくみもつくられた。ここではマイナンバーとこれらのしくみをまとめて「マイナンバー制度」と呼ぶことにする。

マイナンバー制度は、1970年頃から何度も議論されてきたが、現在の形で決定したのは、2013年の番号制度関連4法案の成立時である。

その後、2015年から市区町村による住民へのマイナンバーの付与が始まり、2016年から行政手続きでマイナンバーを利用できるようになった。

ここからは、マイナンバー制度が実際にどのように利用されているのかを紹介する。

まず、マイナンバー自体を利用できるのは社会保障・税・災害対策の3分野のうち、法令で定められた1,221の手続きに限定されている。国民健康保険から健康保険への切り替えや、介護認定・生活保護などの申請時である。

そのため、マイナンバーの提供を求めることができるのは、国や地方公共団体、勤務先、金融機関、年金・医療保険者など特定の機関に限られる。一方で、マイナンバーカードやマイナポータルは、マイナンバーそのものを利用せず、より広い用途で使うことができる。

たとえば、2020年には年末調整や確定申告に関わる情報の取得・提出をマイナポータル上で実施できるようになった。

また、2021年３月からはマイナンバーカードを健康保険証の代わりに使えるようになり、同年６月からは子育て世帯の特別給付金をプッシュ型（住民からの申請は不要で、行政側が対象者に通知し、自動的に給付するしくみ）で実現した。

今後は、マイナンバー制度を活用した取り組みがさらに増える見込みである。たとえば政府は、行政手続きがさらに便利になることを目指して、戸籍情報との連携や、マイナンバーカードと運転免許証の一体化などを検討している。

民間企業でも、完全オンラインで金融機関の口座を開設できるサービスや、オフィスの入退館やパソコンの認証にマイナンバーカードを活用する事例が広まりつつある。

このようにマイナンバー制度は、私たちの暮らしに関わるさまざまな手続きや情報管理をより便利で簡単なものに変える基盤と言える。

一方で、マイナンバーカードの普及のために、政府がマイナンバーカードを取得した人に最大２万円のポイントを付与するキャンペーンを行ったりと、普及率を上げるために多額の税金が使われていることへの批判もある。

また、マイナンバーカードが運転免許証や健康保険証などさまざまな役割を兼ねていくことに対して、万が一マイナンバーカードを紛失したときのリスクが懸念されるなど、さまざまな課題が残されている。

自然環境を支える

☑ パリ協定
☑ トップランナー基準
☑ 家電エコポイント制度
☑ 地球温暖化対策税
☑ グリーンイノベーション基金

政策名

パリ協定

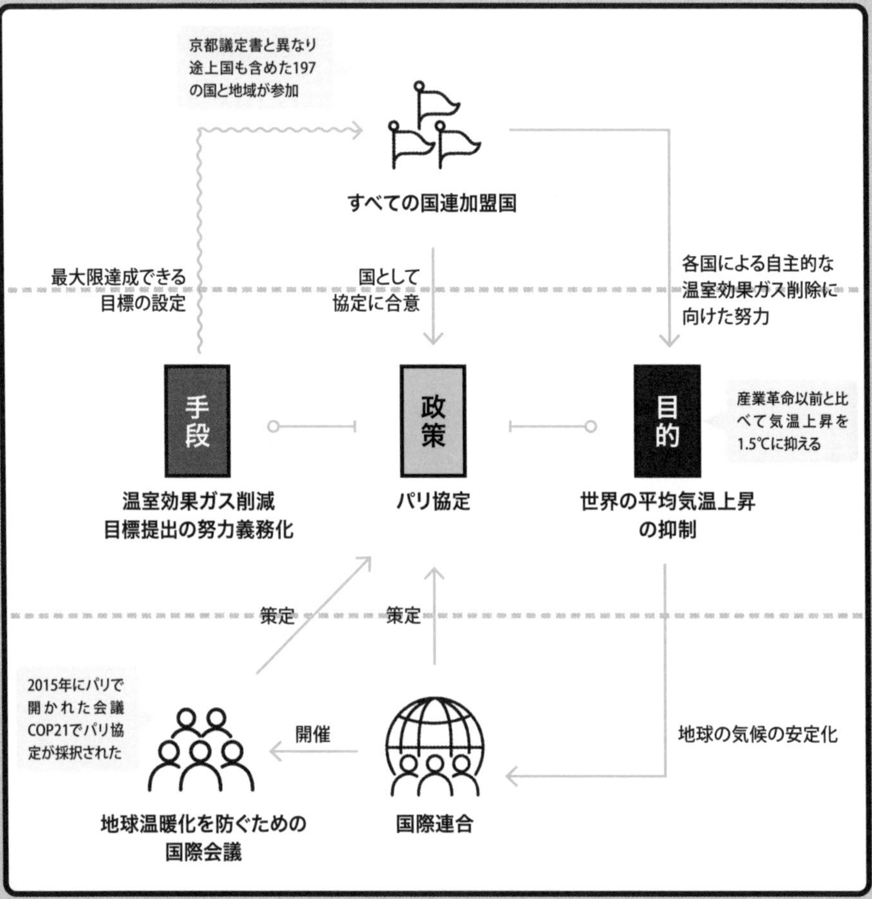

地球温暖化を抑制するために、
国ごとの違いを踏まえて
取り組めるようなしくみにした

地球温暖化による危機は待ったなし

パリ協定とは、2020年以降の温室効果ガスの排出を削減するために、国を越えて協力しようという国際的な枠組みである。2015年にパリで開催された「国連気候変動枠組条約第21回締約国会議（通称 COP21）」で合意されたため、この名称になった。内容は、「世界の平均気温上昇を産業革命以前に比べて２℃より十分低く保ち、1.5℃に抑える努力をする」というものだ。

パリ協定が必要となった背景は、気候変動の問題である。

地球温暖化の原因は、経済活動が拡大し、石油や石炭といった化石燃料を消費することで排出される二酸化炭素などの温室効果ガスの増加だ。このまま何も対策をしないと、21世紀末には平均気温が４度上昇することが予想されている。それによって、水不足や農作物の減少、海面の上昇など深刻な影響が出るだろうということが指摘されている。

途上国も含めたすべての国が主体的に取り組めるようなしくみにした

気候変動の問題は特定の国だけで解決できる問題ではないが、どの国も影響を受ける問題である。そのため、これまでも国際社会で解決のための取り組みがなされてきた。その取り組みとして代表的なものが1997年の「京都議定書」だ。

京都議定書は、京都で開かれた「国連気候変動枠組条約第３回締約国会議（通称 COP３）」での国際的な取り決めだ。「パリ協定」はこの「京都議定書」の問題点をできるだけ解消しながらつくられたため、ここからは両者を照らし合わせながら、「パリ協定」の特徴を明らかにしていきたい。

まず最大の特徴は「パリ協定」が途上国も含めたすべての条約締約国に対して排出量目標の設定を義務づけていることだ。

一方「京都議定書」は先進国のみに対して目標の設定を義務づけていた。なぜなら、これまでの温暖化を引き起こしてきたのは先進国であり、まずは先進国が率先して対策をとるべき、という原則があったためである。

しかしながら、そもそも2001年当時世界最大の温室効果ガス排出国であったアメリカがこの協定から脱退していたことや、中国やインドを代表とした新興国の経済成長により途上国全体の世界全体排出量における割合が増加してきたことで、先進国だけでは対策が不十分だと見なされるようになった。**それらの状況を踏まえ、「パリ協定」では改めて世界全体で共通の目標を掲げることを採用した。**気候変動対策としては歴史上初であり、だからこそ実効性を担保できる画期的な取り決めと言われている。

「パリ協定」では参加国によるボトムアップ的なアプローチで各国の目標が策定されていく点も大きな特徴だ。つまり、各国に目標をそれぞれ自分で設定させ、達成状況を定期的に報告させる、という方法である。

「京都議定書」の問題点は、各国の目標がそれぞれの状況を踏まえておらず公平性や実効性に欠けているということだった。「京都議定書」では、まずトップダウン的に「温室効果ガスを2008年から2012年の間に、1990年比で約５％削減すること」を先進国全体での目標として設定した。さらに、その目標を各先進国に割り当て、その目標を達成すべき義務として課した。そして、この目標が達成できないと罰則が与えられるようにしたことで、ある種の強制力による削減を目指していた。

しかし「パリ協定」では、各国が自主的に決めた目標を守るように約束させたので、協定に参加するためのハードルが低くなり、途上国を含めて世界全体で問題認識を共有することが目指せたのだ。

ただし、この方法も問題がないわけではない。ボトムアップ方式で、かつ達成を約束させるというものでは、各国が取り決めた目標が低くなりがちになる。そのため、その目標を各国で達成したとしても、本来世界全体で達成すべき目標が達成されない、という状況になりかねない。

そこで、世界全体の目標達成を目指すために、目標自体を5年ごとに引き上げていくことで、最終的には長期目標を達成するようにしている。このしくみを、「グローバル・ストックテイク」という。広く参加国を巻き込むためにアプローチを変えて協定への参加ハードルを下げただけでなく、長期目標を達成するための実効性を高める工夫も合わせて導入したのが、パリ協定の新しいところだ。

日本が現在掲げている温室効果ガスの削減目標は、「2030年度に2013年度比46%削減」であり、「さらに50%削減の高みに向けて挑戦を続ける」ことである。この目標を達成するには困難が伴うかもしれないが、気候変動の問題は日本を含め、世界のすべての国が協力して解決する必要がある。さまざまな制約はあるにせよ、日本も国際社会と共に、この目標の達成に少しでも貢献できるよう、行動することが求められている。

政策名

トップランナー基準

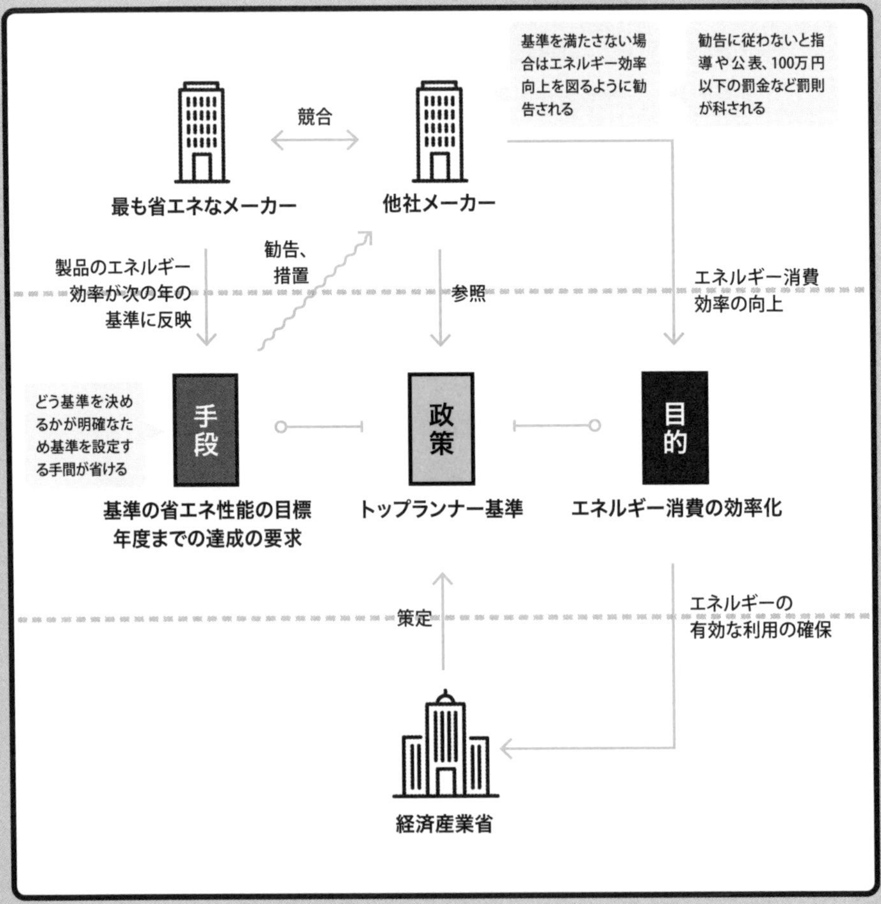

前年の最も省エネな製品を、次の年では最低ラインの基準にして年々加速させるしくみ

いちばん省エネの製品を「基準」にして、それよりいいものを開発させる

環境に優しい技術の開発は日々進んでいる。その一方、「自分ひとりくらいなら環境に悪いことをしても平気だろう」と思う人が中にはいるという問題と表裏一体だ。「自分ひとりくらいなら環境に悪いことをしても平気だろう」と多くの人が思ってしまうと、環境はどんどん悪化し、取り返しのつかない事態を招きかねない。

こうしたモラルハザードが起こらないようにするため、政府が乗用自動車などの機械器具メーカーや輸入事業者に課している制約のひとつが、「トップランナー制度」[147]だ。

トップランナー制度とは、市場に出回っているすべての製品の中で最も省エネな製品の性能を「基準」として、将来の技術開発の見通しを踏まえつつ、その基準を超える性能を持つ製品を目標年までに開発することをメーカーに求める制度だ。

この制度のユニークなところは、メーカーに対して、ある絶対的な基準や平均値で基準を決めたりせず、**最も優秀な製品をさらに上回るような製品をつくろうという、相対的な基準で設定されている点だ。**

たとえば、米国などでは、基準を設定し、それを超えられない場合は出荷を差し止める方式（MEPS; Minimum Energy Performance Standard）が取り入れられているが、この方式では基準のぎりぎりをクリアすればいいことになってしまう。

しかし、この政策では基準が基本的に「トップランナー」であり、次の省エネ基準も設定されるため、継続して省エネが進められ、イノベーションが加速されやすいことが利点だ。

ちなみに、日標年度にこの基準を守れなかった事業者は未達成となった理由や効率改善に向けた今後の対応を報告する必要がある。その後、改善が不十分な場合には、勧告が行われ、さらに、勧告に従わなかった場合には企業名が公表されたり、罰金が科されることもある。

この基準があることで、メーカー間での省エネ製品をつくる競争を促し、全商品の省エネルギー化が進められるため、消費者は買い換えをすることで省エネに貢献できる。

オイルショックを契機に、エネルギー資源の少ない日本の危機感から生まれた

日本はエネルギー資源が少ないので、エネルギー消費量が増えると、海外からの資源が途絶えたときに大きな影響が起こりかねない。そもそも、トップランナー制度を定めている省エネ法（「エネルギーの使用の合理化に関する法律」）は、オイルショックを契機に、産業部門を中心としてエネルギー使用の効率化を背景に1979年に制定された。

そして、1997年の気候変動枠組条約第3回締約国会議（COP 3）における京都議定書の締結を受け、省エネ法は1998年に改正され、トップランナー制度が導入された。こうした背景を考えると、省エネに市場全体で取り組む「トップランナー制度」は、日本のエネルギー自立を支えるとともに、環境を守るために必要な施策であり、その役割は大きい。

147 本項ではあくまで、機械器具等のトップランナー制度を取り扱い、産業トップランナー制度(ベンチマーク制度) については記載しないこととする

政策名

家電エコポイント制度

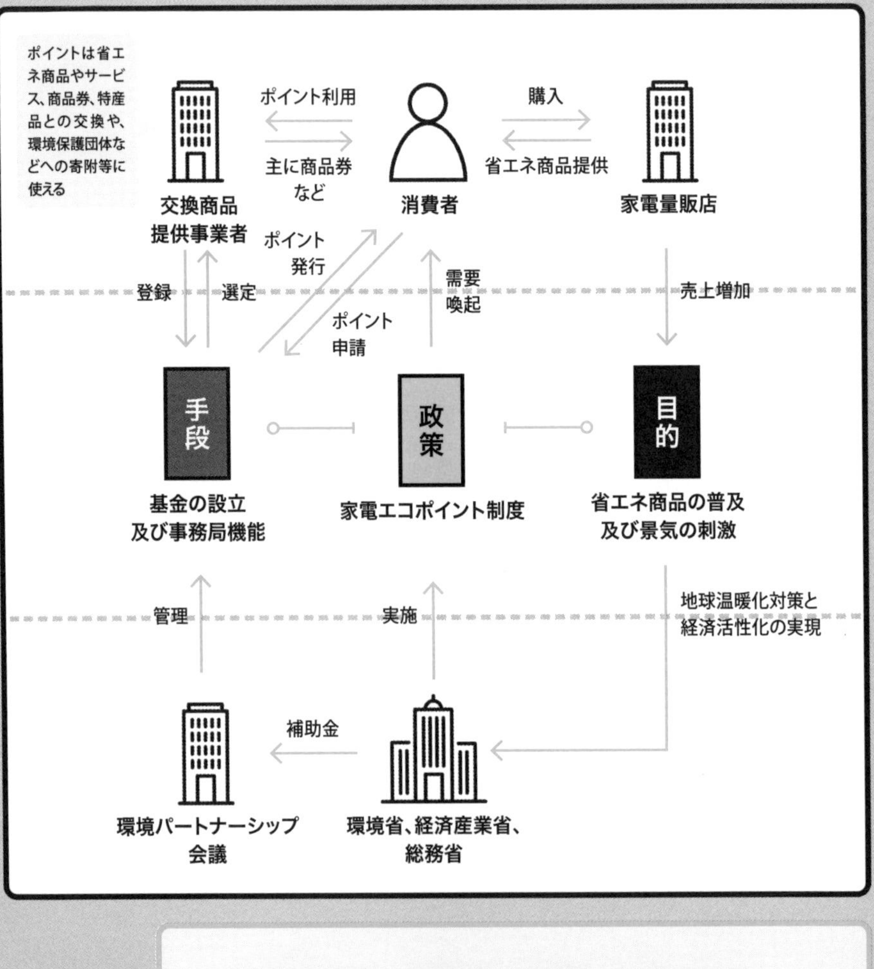

省エネ商品を買った人にポイントを配布する

省エネ商品を買うと、ポイントがもらえる

家電エコポイント制度は、エネルギー消費を減らすための制度だ。2009年５月から2011年３月末まで実施されたものだが、特徴的なのでここで取り上げたい。

この制度は、エアコン、冷蔵庫、地上デジタル波対応テレビを買い替えると、その省エネの性能に応じて購入者にポイントを付与するというものだ。ポイントは商品や金券に変えられる形となっており、消費者に対して購入インセンティブが付与されるしくみになっている。

その製品がどのくらいの省エネの性能があるかは、政府が用意する「統一省エネラベル」[148]に基づいた評価によって判断できる。省エネ性能に応じて星の数を決められ、星が４つ以上のものが「グリーン家電」と呼ばれ、環境負荷が少ない家電として政府が指定したものになる（最大で星は５つ）。星４つ、星５つのものが2009年度は対象だったが、2011年１月からは星５つのみが対象となった。

温暖化対策、景気対策、テレビの地上デジタル放送化の3つの促進のために行われた

この制度は、当初は環境省が地球温暖化対策のために検討していた制度を、経済産業省が産業政策的な観点から共同で進めていた。こうした中、総務省もテレビのアナログ放送から地上デジタル放送への切替え施策を進めていてテレビの買替えを推進する

必要があった。そのため、これら３省が共同で所管する制度となった。また、地上デジタル放送への移行に伴い、従来のアナログ方式のテレビ放送が終了してしまうことで困る国民がいたことも背景にある。

総計6,930億円の予算を投じたが、結果として約4,500万件の申請、発行がなされた。これにより、2.6兆円の販売押上げ効果、５兆円の経済波及効果、のべ32万人／年の雇用創出効果があったとされている。地球温暖化対策の観点からは、省エネ家電への買い替えにより約270万 t-CO_2／年の削減効果が推計されている。

地デジテレビ出荷台数は2.2倍増加したとされており、ポイント付与についても82％が地デジテレビとなっており、世帯普及率は2009年３月時点で約61％だったのが2010年12月には約95％まで伸びている。

ポイント付与の事務に当たっては電子システムが活用され、家電販売店が協力する形で行われた。これにより4,500万件ものポイント付与処理を行うことができたのは、ポイント管理が電子システムによって行われていたことが大きいと思われる。

また、ポイントは環境団体への寄付や、LED 電球との交換などにも活用されたほか、2011年３月以降も2012年末まで利用可能となっていたため、東日本大震災への寄付にも一部利用された。このように付与されたポイントが更なる省エネや、他の社会貢献に利用された点でも特徴的だったと言える。

本施策は耐久財でなかなか買替え需要が起きない国民の保有する家電を一気に省エネ化することに成功し、併せて内需拡大による経済波及効果を生み出した点で意義があると思われる。2009年度から同時に導入されたエコカー減税[149]も類似の制度として挙げられる。

一方で、こうしたポイント還元のような施策では期間内に需要を喚起するが、期間が過ぎてしまうと需要が冷え込むため、事業者はその対応に迫られたり、需要が先食いされて景気対策につながっていないのではないかという批判もあるようだ。

ひとつの政策においても、プラスの側面や批判的にみる必要がある側面は同時に存在することがあるため、多様な側面をとらえるためにも、より多くの立場の方の意見を聞く必要がある。

148 経済産業省 資源エネルギー庁.「統一省エネラベルが変わりました」.
https://www.enecho.meti.go.jp/category/saving_and_new/saving/enterprise/retail/touitsu_shoenelabel/

149 日本自動車工業会.「環境対応車に対する軽減」.
https://www.jama.or.jp/operation/tax/green/index.html

政策名

地球温暖化対策税

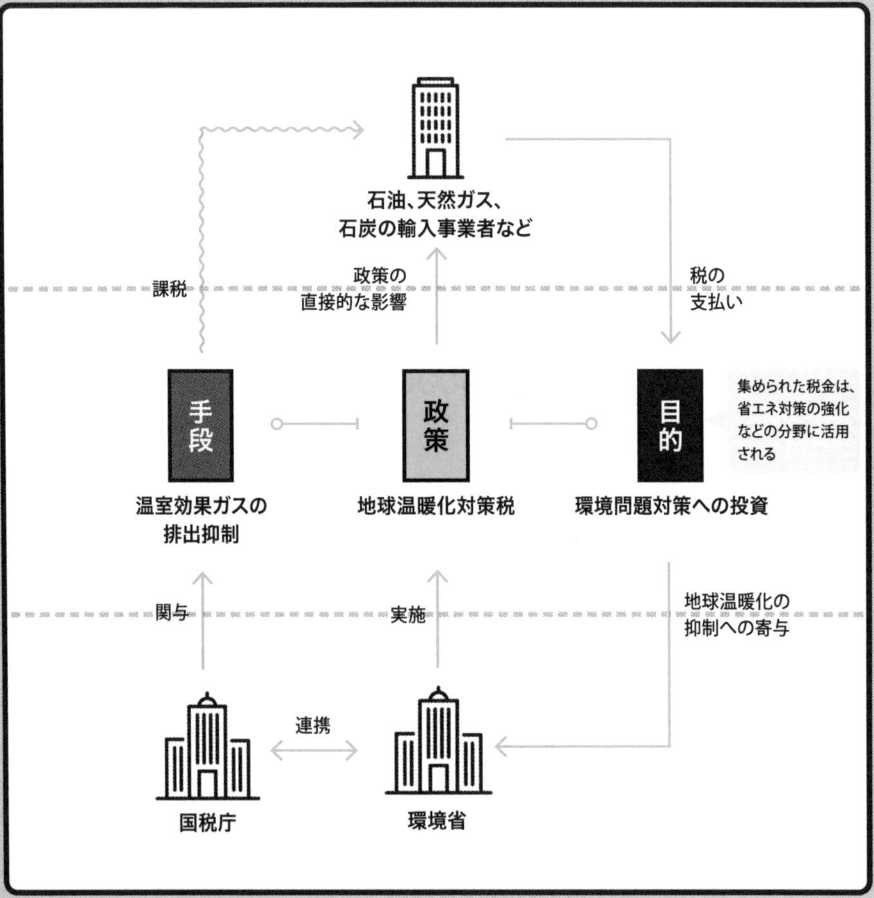

CO_2排出量を
抑制するためにかける税

CO_2排出にかけられる税金は 2,000億円を超える

地球温暖化対策税は、石炭や原油などの化石燃料を扱う事業者に対して、化石燃料から排出される二酸化炭素の量に応じて税が課されるというものだ。もちろん、地球温暖化の原因となっている二酸化炭素の排出抑制のためである。

このような、**二酸化炭素の排出量に応じて課税する政策は「カーボンプライシング」と呼ばれ、世界各国で導入されている。**

カーボンプライシングは、以下の３つの理由により二酸化炭素を削減できると言われている。

「価格効果」：二酸化炭素排出量に対して課税することで、化石燃料を使用する際に今まで以上の金銭的な負担を負うことになる。そのため、化石燃料を使用するインセンティブが下がる。

「財源効果」：税収を、低炭素社会に貢献する省エネや再生可能エネルギーの普及に使用して、脱炭素社会への転換を加速させる。

「アナウンスメント効果」：国の施策として「地球温暖化対策税」を導入するということが広く認知されることで、国民一人ひとりが税の負担を感じ、化石燃料の使用が抑制すべきことだと認識され、国民の意識や行動の変化が促される。

実は、地球温暖化対策税が課される以前から「石油石炭税」というものがあった。石油や石炭などの化石燃料の種類ごとに税が課せられていたのだ。しかし、地球温暖化対策が喫緊の課題となり、今まで以上の対策が求められた。

そこで、さらに地球温暖化対策を促進することを意図して、化石燃料の使用量を削減しながら、この税で得た財源を省エネルギーや再生可能エネルギーの普及に使うために、この税が石油石炭税に上乗せされる形で2012年から導入された[151]。地球温暖化対策税の現在の価格は二酸化炭素１トンあたり289円。税収は2,000億円を超える見込みである[152]。

このような背景があり成立した地球温暖化対策税だが、課題もある。他国と比較して、支払う価格が低すぎると指摘されていることだ。たとえば、アジアの炭素価格は低いと指摘されているが[153]、それでもニュージーランドと韓国の炭素価格は二酸化炭素１トンあたり、それぞれ約7,100円、約2,900円である。一方、日本の場合、二酸化炭素１トンあたり289円しか課税されない。

なお、国際エネルギー機関（IEA）は、十分な気候変動対策を行うためには、2030年に二酸化炭素１トンあたり130ドル（約１万7,500円）、2050年には250ドル（約３万4,000円）程度を目指す必要があると予測している。これを踏まえると、日本のカーボンプライシングは他国と比較して低い水準にとどまっていることがわかる。

そのような潮流の中、日本もカーボンプライシングの導入に向けた取り組みが始まっている。2023年５月に「GX推進法[154]」が成立。この法律のもと、2028年から化石燃料の輸入事業者等から「化石燃料賦課金[155]」を、2033年度から発電事業者を対象に「排出量取引制度[156]」の導入が決まった。

こうした取り組みが行われること自体はよいことだが、導入のタイミングが遅く、政府が目指す2030年度までに温室効果ガス46%削減（2013年度比）までに間に合わないのではないか、炭素価格が国際的な水準から見たら低いのではないか、という指摘もある[157]。

さらに地球温暖化対策税を含むカーボンプライシングが、真に気候変動問題の解決を意図しているのであれば、他の政策にも一貫性を持たせる必要がある。しかし、Oil Change International の調査[158]によると、日本政府は2019年から2021年の間に年平均106億ドル(約1.4兆円)の化石燃料事業に対する公的支援を行っている。

公的支援とは、化石燃料に対する補助金、JICA のプロジェクトのような途上国での開発、化石燃料関連の事業に対する公的な保険などが含まれ、財源は国民の税金である。つまり、地球温暖化対策税の税収2,000億円の比ではない税金が、化石燃料事業に費やされているということである。この状況は、気候変動対策に対して、アクセルを踏む一方で、ブレーキをかけていると言えるだろう。

150 環境省.「第五次環境基本計画」平成30年, 2018.
https://www.env.go.jp/policy/kihon_keikaku/plan/plan_5/attach/ca_app.pdf
「地球温暖化対策のための石油石炭税の税率の特例については、その税収を活用して、エネルギー起源CO_2排出抑制の諸施策を着実に実施していく」としている

151 2012年度の税制改正により、「地球温暖化対策のための課税の特例」として石油石炭税の特例に追加された

152 2021年度補正予算税収見込み

153 Bloomberg,「低すぎるアジアの炭素価格、排出抑制には効果薄―制度進展も遅く」2022
https://www.bloomberg.co.jp/news/articles/2022-08-09/RGC1FRT1UM0W01

154 正式名称は「脱炭素成長型経済構造への円滑な移行の推進に関する法律」

155 化石燃料賦課金は、輸入した化石燃料の二酸化炭素排出量に応じて税金を課すという制度

156 排出量取引制度は、政府が事業者に対して二酸化炭素の排出量の上限を設定し、その排出量の枠を市場で取引できるしくみ

157 WWFジャパン.「GX関連法に残る問題点と必要な改善策」
https://www.wwf.or.jp/activities/activity/5318.html

158 Oil Change International.Japan's Dirty Secret: World's top fossil fuel financier is fueling climate chaos and undermining energy security」2022.https://priceofoil.org/2022/11/08/japans-dirty-secret/

政策名

グリーンイノベーション基金

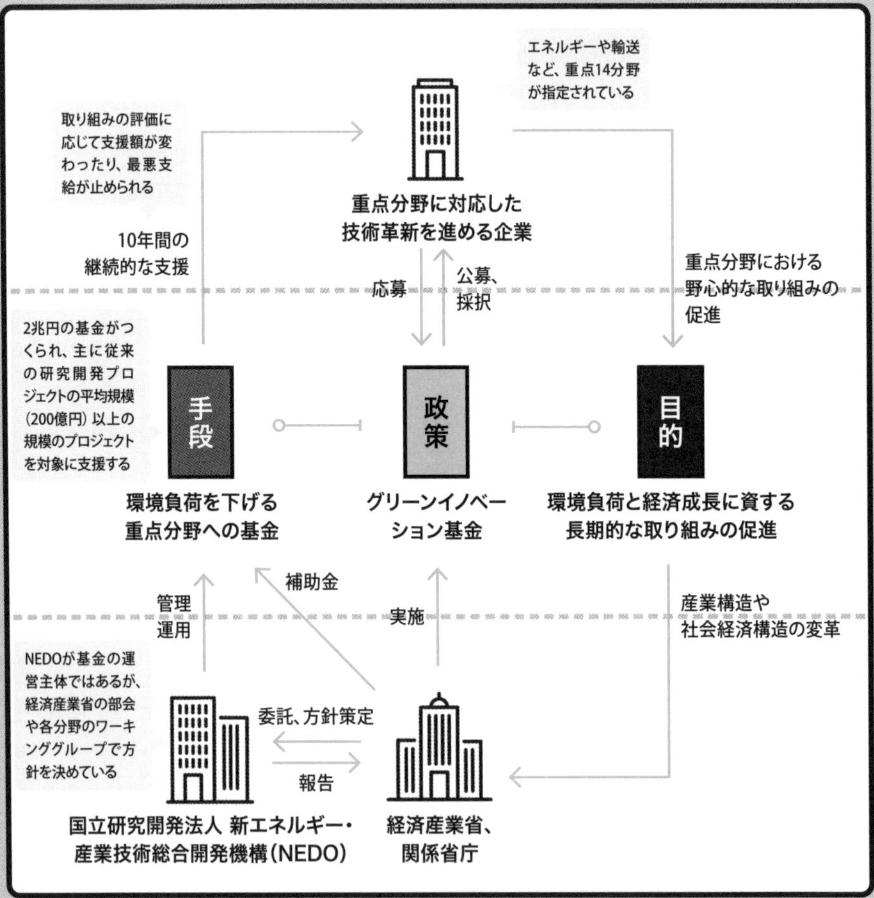

環境問題に取り組む企業を長期的に支援するための基金

環境対策と経済成長を両立させるための政策

グリーンイノベーション基金（以下、本基金）という政策は、カーボンニュートラルを実現するための研究開発と社会実装に取り組む企業に対して、日本政府が最長10年間、財政的に支援するための基金だ。

カーボンニュートラルとは、二酸化炭素などの温暖化の原因となっている温室効果ガスの排出量を実質ゼロにすることを意味している。ちなみに、実質ゼロというのは、温室効果ガスを排出する量から吸収する量を差し引いた結果、排出量が０になることを意味する。そのため、温室効果ガスをまったく出さない、ということではない。

事業予算は２兆円で、カーボンニュートラルができると経済成長すると期待される14分野[159]が支援対象になっている。

グリーンイノベーション基金が設立された理由はふたつある。カーボンニュートラルの実現と、投資の呼び込みだ。

そもそも、カーボンニュートラルを実現することが必要とされたのは、パリ協定で、温室効果ガスの排出を削減することが世界全体の共通目標となったことがきっかけである。日本も世界と歩調を合わせる形で「2050年カーボンニュートラル」を宣言し、カーボンニュートラルのための取り組みを進める責任を負った。

しかし、経済活動や、日常生活の中で排出される温室効果ガスを減らすことは決して容易ではない。大量生産・大量消費のような環境負荷の高いビジネスモデルを抜本的に変革したり、太陽光発電のような脱炭素に貢献する技術革新を起こす必要がある。これらを支援するために、グリーンイノベーション基金が設立されたのである。

これからの投資を呼び込みやすくするため、脱炭素への取り組みを国が援助する

ここまで述べてきたような環境対策の側面は重要ではあるものの、それだけではなく、経済的な効果も期待されている。というのも、世界中の資金の流れが脱炭素に向けて変わり始めているからだ。多くの投資家がESG（環境（Environment）、社会（Social）、ガバナンス（Governance））に配慮した企業に対して投資を行い始めており、その資金は世界で3,000兆円以上の規模に及んでいる[160]。

このESG資金を国内に呼び込み、経済成長を伴う脱炭素への取り組みを加速させるために、「2050年カーボンニュートラルに伴うグリーン成長戦略」（以下、グリーン成長戦略）が2021年に策定された。この戦略によって、再生可能エネルギーなどの成長が期待される14分野が指定された。その中でも特に効果が大きく、かつ社会に実装されるまでに時間がかかりそうな取り組み[161]に対して支援するのが、グリーンイノベーション基金である。

要するに、グリーンイノベーション基金は環境対策と経済成長を両立させることを重視している。そのため目標として、2050年までのカーボンニュートラルの達成に加え、2050年の経済波及効果190兆円が掲げられている。

とはいえ、課題も指摘されている。それは、２兆円という規模に対して十分な事業者が集まるかどうかが懸念されることや、カーボンニュートラルへの効果が疑問視されている「false solution」(誤った技術)に資金が使われ、必要な技術開発に予算が当てられていない可能性があるというものだ。

たとえば、アンモニアと化石燃料を混ぜて発電する(アンモニア混焼と呼ばれている)技術開発には688億円の予算が組まれている。しかし、化石燃料だけでなくアンモニアを輸入する必要があることから、BloombergNEF[162]はアンモニア混焼を進めることで「エネルギー安全保障を悪化させるリスク」があると指摘している[163]。さらに、さまざまな国内外のNGOは、この技術はカーボンニュートラルの実現を遅らせる「false solution」であると指摘している。技術確立の予見性が高い再生可能エネルギーと比べると、アンモニア混焼は技術的ハードルとコストが高く、温室効果ガス排出量の削減効果も低いためである[164]。

アンモニア混焼に限らず、投資されている技術が本当にカーボンニュートラルと経済成長に貢献するものなのか、注視する必要があるだろう。

159 「洋上風力・太陽光・地熱」「燃料アンモニア産業」「水素産業」「原子力産業」エネルギー関連産業4分野と、「自動車・蓄電池産業」「半導体・情報通信産業」「船舶産業」「物流・人流・土木インフラ産業」「食料・農林水産業」「航空機産業」「カーボンリサイクル産業」輸送・製造関連産業7分野と、「住宅・建築物／次世代型太陽光産業」「資源循環関連産業」「ライフスタイル関連産業」家庭・オフィス関連産業3分野の計14分野である

160 世界持続的投資連合.「GSIA Report Finds Increase in Sustainable Investing」. 2019.https://sdg.iisd.org/news/gsia-report-finds-increase-in-sustainable-investing/

161 10年程度にわたる計画が本基金の対象となっており、短期で終わる計画は対象外になっている。さらに、採択されれば、一括で基金が交付され、長期にわたって継続的に支援事業に取り組むことができる

162 ブルームバーグNEF (BNEF) は、エネルギー関連をはじめとした各事業者、市場関係者、政策立案者をエネルギー経済環境の分析、データ、解説を提供することで支援するブルームバーグのリサーチサービス

163 BloombergNEF.「日本のアンモニア・石炭混焼の戦略におけるコスト課題」. 2022.
https://assets.bbhub.io/professional/sites/24/BNEF-Japans-Costly-Ammonia-Coal-Co-Firing-Strategy_FINAL_JAPANESE.pdf

164 Fossil Free Japan.「We urge the Japanese Government to Stop Promoting “False Solutions” and Commit to Ending Fossil Fuel Finance at COP27」2022
この声明には29カ国49団体が賛同している

おわりに

政策図解を出版するためのプロジェクトは、2019 年 7 月 10 日のイベントをきっかけにして始まった。経済産業省の中でビジネスモデルを図解することについてディスカッションするイベントだった。

その中で、ある官僚の方から、ビジネスモデルが構造的に可視化できるんだったら、政策もできるのでは？　という意見が出て、それなら試しにやってみましょうとプロジェクトが発足した。

政策図解の元となったビジネスモデルを図解する活動は 2017 年から始まり、2018 年に『ビジネスモデル 2.0 図鑑』という本を上梓した。本書の政策図解のフォーマットを見て、ビジネスモデルの図解と似ていると思われた方は勘が鋭い。ビジネスモデル図解を応用してこの政策図解はつくられたからだ。実際に、3 × 3 のマス目に配置するルールや、三段の構造などはビジネスモデル図解を踏襲している。

政策図解のフォーマットをつくるにあたっては、まずは何人か有志の官僚の方にヒアリングしながら、どのようにすれば政策を記述できるフォーマットになるのか、複数回にわたってディスカッションをした。ほかの省庁の職員の方も人づてでお誘いし、政策を図解するワークショップを何度も開催した。

試しに図解してみたところ、その図解をもとに、参加者がお互いの意見を述べ合い、解釈を伝えあうことで、そうした議論がまた図解に反映されていった。こうしたプロセスを経て、結果、本書で紹介しているフォーマットができあがった。

実はこのプロセスが重要だ。結果としてできあがった図解を眺めること以上に、この政策はこう表すことができるのではないか、とみんなで議論する過程でお互いの認識を可視化しながら対話することができる。

図解には重力がある。空中戦になりがちな抽象度が高く概念的な議論を、地に落として対話しやすくする力が。実際に、経済産業省の方と農林水産省の方が同時にひとつの政策について議論をしている様子を見て、通常だと空中戦になりやすい複雑な議論が、ひとつの図解の元にディスカッションできていた様子を見て、政策図解の意義を実感した。

途中までは、「政策」特有のフォーマットがあるのではないかと思っていた。しかし結果的には今のフォーマットの形に落ち着くことになった。この政策図解のフォーマットは、本来政策に限って使われるだけでなく、5W1H をもとにした、より一般的に活用しうるフォーマットである。なぜなら、誰が、誰に対して、何のために、どんな手段でその活動を行うか、という問いは、あらゆる活動に対して当てはまるからである。

政策に特有なフォーマットを追求することもできたのかもしれないが、突き詰めていくほど、専門用語が増え、政策をつくる過程に普段なかなか関わらない一般の人にとって理解が難しくなってしまう。

むしろ、政策を議論する際に、こういった基本的な5W1Hのようなことですら、わかってないことが多いがゆえに、政策という誰もが関わるテーマだからこそ、より一般的な、誰にでも通用するフォーマットでよかったのではないかと思い始めた。

政策という複雑な変数を持つ概念は、この本で紹介したフォーマットでは網羅的に説明することは難しい。9マスにおさめるという図解のフォーマット上、ある程度情報を捨象しなければならない制約がある。その制約があることで、シンプルに理解しやすくなるというメリットがある一方、まちがった解釈をしてしまうリスクも伴う。あくまでひとつの解釈としての図解なので、絶対的な正解があるわけではない。手段や目的も、ひとつではないことが通常だ。

さらに、政策にはより規模の大きな政策もあれば、小さな政策もあり、そうした複数の階層を持つ構造が、目的にも階層性を生み出している。どの単位で政策を捉えるかによっても、書き方が変わってくる。

というわけで政策という概念を本書で示したような共通フォーマットで捉えるのははなはだ無謀な行為ではあると思いつつも、それでも一般市民であるわたしたちは、日常生活においてあまりに政策からかけ離れているため、あえて極限なまでにシンプルな構造で示すことが必要だと考えた。本書によって政策に少しでも興味を持つ人が増えることを期待したい。政策に興味を持つきっかけとして、本書が入り口として機能してくれたら幸いだ。

本書を作成するにあたっては非常に多くの方に助けていただいた。図解や文章作成に数多く関わっていただき、そうした有志のメンバーの方の助けがなければ本書は世に出すことはできなかっただろう。図解総研のメンバーはもちろん、有志で手伝っていただいた方のお名前を挙げ、感謝の意を伝えたい。

水口怜斉氏と山下慶太郎氏には何年にもわたり、かなりの回数にわたる編集会議に参加いただき、深く本書の執筆・構成に関わっていただいた。おふたりの客観的な視点・アドバイスなしには絶対に出版できなかったと思う。

政策図解と執筆においては、光武佳寿美氏には、初期から出版に至るまで政策図解の活動に継続的に関わり、図解や文章作成にもっとも多くの割合で尽力いただいた。笠場愛翔氏には初期段階で継続的に政策図解と文章執筆を複数担当いただいた。

ラストスパートのために協力を募った際に集まってくれた、武井七海氏、吉田泰己氏、佐野智則氏、奥田哲也氏、佐々木実氏、植竹史雄氏、藤井亮介氏、入屋翔伍氏、日角智幸氏、松野雅人氏、窪西駿介氏にも感謝したい。最後の執筆過程でそれぞれが主体的に進行してくれたおかげでスムーズに進めることができた。伊勢本惇示氏には大学生向けに政策図解のワークショップを開催するにあたって迅速に物事を進め、執筆にまで協力いただいた。原田貴志氏にも自身の経験からレビュー・執筆協力いただいた。

また、政策図解のフォーマットの検討において、初期段階で佐藤滉介氏とのディスカッションで政策図解の初期の検討が大きく進んだ。鈴木寛先生には、ゼミに参加させていただき監修を快くお引き受けいただいた。

総務省、文部科学省、経済産業省ではそれぞれ政策図解のワークショップを開催し、計100人以上の方に参加いただいた。ほかにも、ここには書ききれないほどさまざまな方が関わってくれた。関わっていただいた方々みんなにお礼を言いたい。

政策図解のように、一定のルールを持ったコミュニケーションツールを「共通言語」と呼び、複雑な概念を構造化し、ツールとして活用できるよう研究開発しているのが筆者が代表をつとめるビジュアルシンクタンク「図解総研」だ。政策図解は図解総研のメンバーがいたからこそつくることができた。共著者の沖山誠にも感謝したい。

図解総研ではこれまで、ビジネスモデル、会計、共創といったテーマを手がけてきたが政策はこれまでで最も複雑で、変数の多い概念だった。本書で描ききれなかったことがたくさんあるが、引き続き政策の奥深さをより多くの人にとってわかりやすい形で可視化していきたい。

政策図解という社会を見るためのレンズによって、これまで政策のことを知らなかった方、興味がわかなかった方が少しでも政策に近づけたら幸いだ。また、政策を実際につくることに従事している方々にとっても、何かこの政策図解というコミュニケーションツールをきっかけにして、対話や相互理解が進んだらありがたい。

2023年11月　近藤哲朗

［図解開発］

図解総研

［図解開発協力］

水口怜斉、佐藤滉介、高橋拓磨、吉備友理恵

［構成協力］

水口怜斉、山下慶太郎

［執筆・調査協力］

光武佳寿美、笠場愛翔、武井七海、吉田泰己、
佐野智則、奥田哲也、佐々木実、植竹史雄、藤井亮介、入屋翔伍、
日角智幸、松野雅人、窪西駿介、伊勢本惇示、原田貴志

［レビュー協力］

松尾真奈、原田貴志、内山裕弥、亀山康子、田崎智宏

［事例候補協力］

辰巳奈緒

監修

鈴木《すずき》 寛《かん》

東京大学公共政策大学院教授、慶應義塾大学政策・メディア研究科特任教授。1964 年生まれ。1986 年東京大学法学部卒業後、通商産業省に入省。エネルギー政策、国土政策、地方振興政策、マクロ産業政策、生活文化産業政策、アジア太平洋政策、金融政策、ICT 政策に従事。山口県庁出向中に吉田松陰の松下村塾に何度も通い、若者の無限の可能性を実感し、人材育成の大切さに目覚める。通産省勤務の傍ら、大学生などを集めた「すずかんゼミ」を 1995 年に立上げ、現在も主宰中。教え子は 1000 名を超える。「すずかんゼミ」は「現代の松下村塾」と呼ばれ、多数のビジネス起業家、社会起業家、首長、議員、官僚、政策コンサルタント、シンクタンク・アナリストなどを輩出。慶應義塾大学 SFC 助教授を経て 2001 年参議院議員初当選（東京都）。文部科学副大臣二期、文部科学大臣補佐官四期を務め、教育政策、医療政策、科学技術政策、スポーツ政策、文化政策を担当。2014 年から 2023 年まで、東大教授・慶大教授の日本初の国立・私立大学クロスアポイント。

近藤哲朗《こんどう　てつろう》

図解総研代表取締役。東京理科大学工学部建築学科卒。千葉大学大学院工学研究科建築・都市科学専攻修士課程修了。面白法人カヤックでディレクターを務め、2014年、社会の課題をクリエイティブで解決するべく株式会社そろそろ創業。NPOの支援を行う中で、どれだけ社会にいいことでも経済合理性がなければ活動が継続しづらいもどかしさを痛感し、グロービス経営大学院大学経営研究科経営専攻（MBA）に通学（後に中退）。2018年、書籍『ビジネスモデル2.0図鑑』（KADOKAWA）が10万部を超え、「ビジネスモデル図解」で2019年度GOOD DESIGN AWARD受賞。2020年、「共通言語の発明」をコンセプトにビジュアルシンクタンク「図解総研」を設立。大手企業・研究機関・行政とともに、ビジネスモデル、会計、共創、環境問題、政策など複雑なしくみや社会の構造などの可視化に取り組む。共著に『会計の地図』（ダイヤモンド社）、『パーパスモデル』（学芸出版社）がある。

沖山 誠《おきやま　まこと》

1995年東京生まれ。図解総研取締役。明治大学経営学部会計学科卒。経営コンサルティング企業を経てフリーランスとなり、現職。ビジネス書・教養書などを図解したnoteの解説記事が人気を博し、フォロワー数は3万人を超える。図解をベースにした「本を読まずに参加できる読書会Booked」を主催し、大手企業や教育機関等に提供している。共著に『ビジネスの仕組みがわかる 図解のつくりかた』（note）、『会計の地図』（ダイヤモンド社）がある。

※本書籍は、制作当時のデータに基づいて作成しています。

政策図解

2023年12月11日　第1版第1刷発行
2024年 1 月22日　第1版第2刷発行

著者	近藤 哲朗、沖山 誠
監修	鈴木 寛
発行者	中川 ヒロミ
発行	株式会社日経BP
発売	株式会社日経BPマーケティング 〒105-8308　東京都港区虎ノ門4-3-12 https://bookplus.nikkei.com
イラスト	ダテユウイチ
ブックデザイン	矢部 あずさ（bitter design）
校正	加藤 義廣（小柳商店）
編集	中野 亜海
本文DTP	フォレスト
印刷・製本	中央精版印刷

本書籍に関するお問い合わせ、ご連絡は下記にて承ります。
https://nkbp.jp/booksQA

ISBN 978-4-296-00009-8